手縫いのための、便利な縫い目入り型紙つき

ヌメ革で作る手縫いのバッグ

Welcome to our Studio

本書で作る、ヌメ革のバッグと雑貨です

 はじめに

革は意外に扱いやすい素材です。

布でバッグを作るときには、切り口がほつれてしまうので
処理しなければなりません、あるいは2枚仕立てにして縫い代を隠します。
革の場合は、切りっぱなしで大丈夫。
ですから、布のバッグと比べると工程はかなり簡素です。

切って貼り合わせる紙の工作と、縫い合わせて作る布の裁縫の中間とをイメージすると
わかりやすいかもしれません。しかも、革は紙と違い伸びるので、曲面を作るときは
紙工作より簡単です。

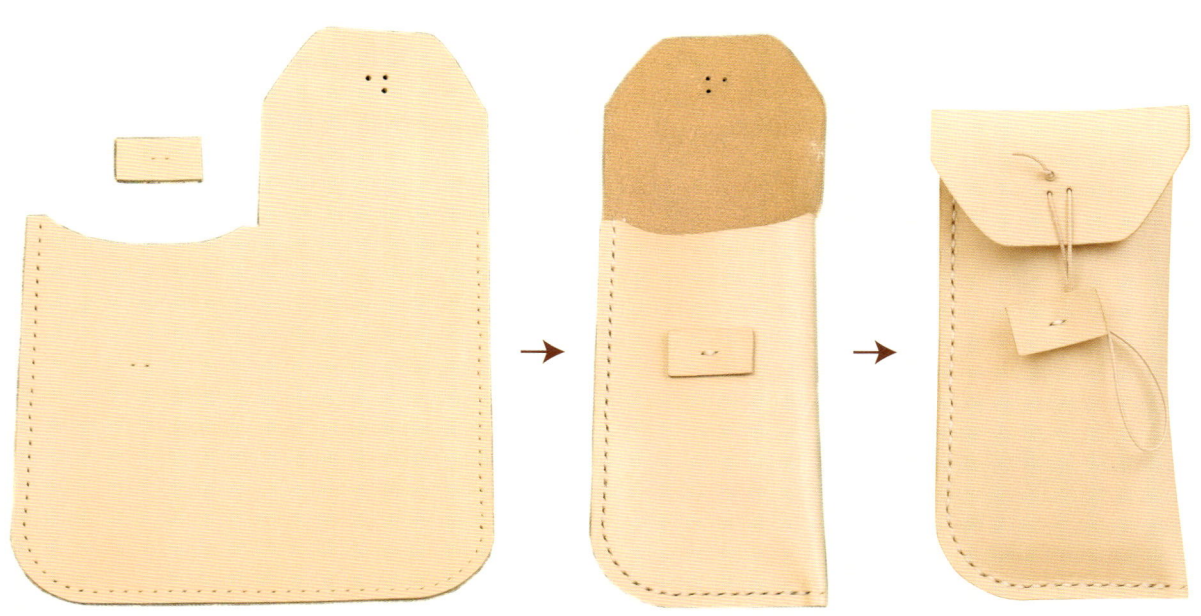

たとえばこのペンケースは、1枚の革を畳んで縫いました。ぷっくりしているのは
濡らして伸ばしたからです。

丸や三角に切った革に
ファスナーを付ければ
こんなケースが作れます。

2枚の革を貼って縫い合わせるとバッグになります。

左はCD用です。右の大きい方はLPを数枚入れて持ち運べます。

 # この本での制作方法

本書の大きな特徴は、型紙に縫い目の穴位置が入っていることです。
革は縫い目の穴を開けてから縫いますが、
手縫いでは、穴開けが一番重要なポイントです。
縫い目の穴の数が合っていれば、穴に沿って縫い合わせれば完成です。

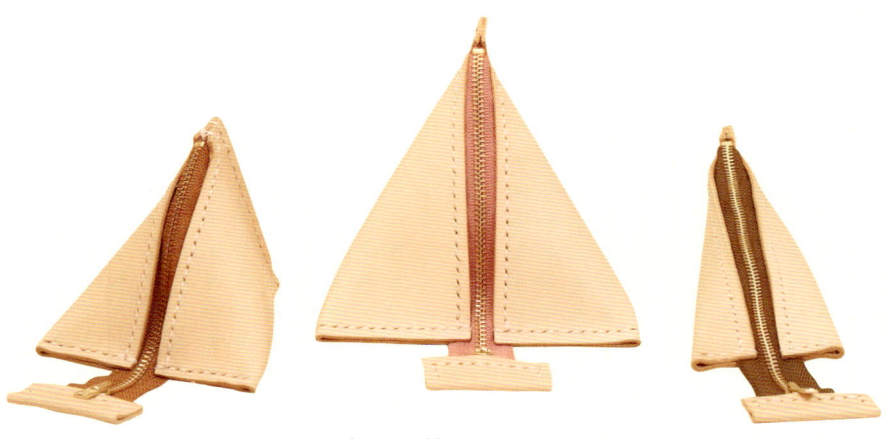

これは、長方形の革にファスナーをつけてから
折り畳んで縫いました。

革に切り込みを入れて
縫い合わせれば、
ふくらみをもたせるための
ダーツになります。

本書では、はじめての方でも扱いやすい1.8から2mmの厚さの革を使います。
バッグの本体は、いろいろな構造のものを掲載していますが、
革を漉く（部分的に薄く削ぐ）等の難しい工程は省いて作れるものばかりです。

ヌメ革には、
シンプルなデザインが
似合います。

サイズの変更や持ち手のデザインを変えて、
オリジナルを作ることもできます。

たとえば左の2つは
同じ筒形です。
パーツや
持ち手の付け方で
雰囲気が変わります。

ヌメ革は徐々に柔らかくなっていきます。
本書では、厚い革を使ったり裏打ちをしていないので、
経年変化や扱い方によっては、形が変わっていくこともあります。
これも年を経ていくヌメ革バッグの味わいとして楽しんでください。

7

# Contents

ヌメ革について	10
制作に使うもの	12
革を購入する	14

chapter 1　17
革クラフトの基礎

基礎のペンケース	18
基礎の工程	20
型紙を作る	22
型紙を革に貼る・粗裁ち	24
型紙を写す	25
縫い目穴を開ける	26
革を裁つ	28
床面を磨く	30
コバを磨く	31
革を接着する	32
糸と針の準備・縫いはじめ	34
刺しはじめの糸	35
平縫い	36
並縫い	37
本返し縫い	38
ステッチャー縫い	39
糸を継ぐ・縫い終わり	40
糸の始末	41
パーツつけについて	42
仕上げ	43

chapter 2　45
シンプルな構造のバッグや雑貨

封筒形ケース	46
パスと名刺のケース	48
CDサイズのバッグ	50
LPサイズのバッグ	52
手帳カバー	54
ツールポーチ	56

chapter 3　　　　　59
応用の工程

ファスナーつきペンケースケース	60
ファスナーをつける	61
三角ポーチ	62
平たいケース	64
小さな革で作れるもの	66
革持ち手の布バッグ	70
持ち手を変える	71
持ち手を作る	72
3枚はぎの縦長バッグ	74
大きい革を接着する	76
3枚はぎのトートバッグ	78
1枚革のファスナーつきポーチ	80
1枚革のバッグを作る	82
1枚革のトートバッグ	84
1枚革のショルダーバッグ	88
ストラップを作る	90
1枚革のファスナーつきバッグ	94
ダーツ入りバッグ	96
ボール形バッグ	98
ベルトポーチ	102
小さな楕円底バッグ	106
曲線の底を接着する	108
筒形バッグ	110
バケツ形バッグ	112
2枚はぎのボストンバッグ	114
曲線底のショルダーバッグ	116
工具バッグ	120
横長書類バッグ	124
4面マチのバッグを作る	126
書類バッグ	130
型紙の変形の仕方	131
レザークラフトショップ SEIWA	134
縫い目穴の調整	136

chapter 4　　　　　137
型紙

★茶色で表示した項目は
制作方法です。

# ヌメ革について

動物の原皮をなめしたものを革と呼びます。
なめし方の代表的な方法には、タンニンなめしとクロームなめしがあります。

タンニンは、紅茶にも含まれているように自然な物質です。
タンニンなめしは、樹木の成分を用いて革をなめす方法で、とても古くからあるなめし方。
原始的であるが故に、とても手間のかかるなめし方でもあります。
この、タンニンなめしした牛革のことを広い意味ではヌメ革と言いますが、本書ではその中でも
染色等の加工をしていない、もっとも自然に近い、タンローと呼ばれる牛革を用いて作品を作ります。
タンニンなめしした革は使い古されて廃棄されたとしても、自然界に生きる動物達と同様に
おだやかに土に帰っていきます。

クロームなめしは、化学的に作られた薬剤でなめします。なめしの工程がタンニンなめしより少なく、
工業的にできることから、商品として流通している革製品のほとんどは、
クロームなめしの革に着色や表面加工をしたものです。

ヌメ革（タンロー）の特徴

丈夫で硬い革ですが、表面にキズがつきやすく、水分を吸いやすく、湿った状態では伸びやすい、
酸化によって色が変わりやすいという性質があります。
逆に言うと、成形や加工がしやすく、使ううちになじんでやわらかくなり、つやが増し、飴色に変わっていく
革本来の使い込む面白さのある革です。

なめし後に表面加工をしていないので、怪我や虫さされの跡が
はっきりと残っていたり、シワや血管の跡がある部位もあります。
これらは全て動物の革であることの証です。
あまりキズを気にせず、ダメージのあるところも含めて、
革で制作すること、革のバッグや雑貨を使うことを楽しんでください。

硬い革です

水分を吸うと、

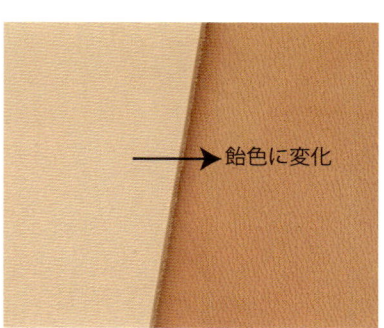
→ 飴色に変化

制作する際、気をつけること

革クラフトでは、
革の表側を「銀面」、裏側を「床面」、切り口の部分を「コバ」と呼びます。

銀面 　　　　　　　　　床面 　　　　　　　　　コバ

新しいヌメ革の銀面は、淡いベージュ色です。とても汚れやすく一度付着した汚れを取ることはむずかしいです。
必ず手を洗ってから作業しましょう。テーブルやカットの際使うビニール版等もきれいにしておきます。
手の汗や油分も革について汚すことがあるので、薄手のゴム手袋を着用して縫う方もいます。

ヌメ革の銀面は、圧を加えるとかんたんにへこんでしまいます。
爪を立てただけでも跡が残ります。

手縫い糸は、ワックスがついているので、汚れが付着しやすいです。
糸を布に挟んでしごき、余分なワックスを落としておくのもお勧めです。

作品が出来上がったら、オイル等で保護しましょう。

新品

ただし、製作中に手の汚れ等で汚くなってしまったとしても、
しばらく使ううちにだんだん目立たなくなります。
また、日常使いすることで汚れやひっかきキズが入ったとしても、
これも、極端に心配する必要はありません。
使い込むうちにわからなくなってしまいます。

革の銀面がすり切れてしまわないように、
オイル等での手入れは、しておくことをお薦めします。

使い込んだもの

 制作に使うもの

革を磨く

トコノール 床面やコバを磨くときに塗ります。

型紙を貼る

スティック糊 紙にシワが入らないように、水分の少ない糊を使います。

プレススリッカー トコノールを塗った面を磨くのに使います。

ドラフティングテープ 革の銀面に貼ってはがしやすい製図用の仮止めテープです。

ドレッサー コバを磨いて整えるのに使うヤスリです。

革を接着する

接着剤 貼り合わせたい箇所どうしの両面に塗って接着させるタイプを使います。接着剤を塗って乾かしてから、圧を加えて密着させます。

革を裁つ

ビニール板 厚手のビニール製のマットです。革を裁つ際の下敷きにします。

大型のカッターナイフ 革を裁つのに使います。

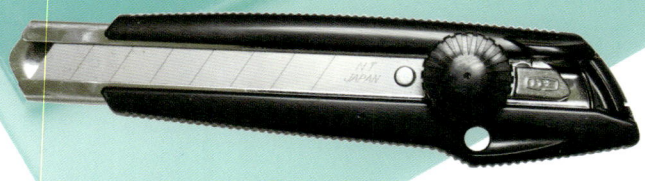

12

縫い目穴を開ける

菱目打ち

ヌメ革は、厚さ1.8~2mmを使います

本書では厚さ 1.8~2mm の革を使い、菱目打ちは 5mm ピッチ（穴の間隔）のものを使用します。型紙の縫い目穴も 5mm 菱目打ち用です。違うサイズの菱目打ちを使うと縫い目穴の間隔が合わなくなってしまいます。気をつけてください。

4本刃は直線、2本刃は曲線の縫い目穴を開けるのに使います。

立体物なので完全ではありませんが刃幅をほぼ実物大で掲載しています。軸の形はいろいろなものがあります。

菱キリ　単独の縫い目穴を開けるのに使います。

丸穴を開ける

ポンチ（ハトメ抜き）　丸穴を開けるのに使います。いろいろなサイズがあります。

印をつける

目打ち　革に印をつけたりスジを引くのに使います。

木槌　菱目打ちやポンチを打つのに使います。

ゴム板　菱目打ち等を打つ際に下に敷きます。

縫う

糸　本書では、ポリエステル製のダブルロー引き糸を使用しています。

針　革の手縫い用の針を使います。

革を購入する

革はレザークラフト専門店の他、大手雑貨店やホームセンターでも購入できます。

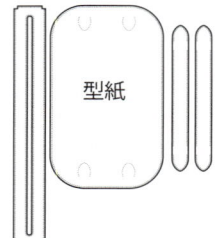

革は布のように四角形ではありません。
革を購入する際は、原寸の型紙を必要な枚数分用持参して革に並べ、
大きさが足りるか確認します。
図面には縫い代が含まれていますが、革を裁つ際の余裕と革の歪み等を
考慮して、大きめのものにすることをお薦めします。

革は部位によって厚さや性質が異なります。
どのように型紙を配置してパーツを切り出すかは、とても重要なことです。
ダメージや伸びやすい箇所がある場合は、うまく避けて使えるか、
あるいは利用可能なものかチェックしましょう。
金属パーツは種類が豊富です。
どのパーツをつけるか、セットするための工具はどれを選ぶか迷うこともあると思います。
革およびパーツは、専門の売り場の店員の方に確認して購入することをお勧めします。
3章の「レザークラフトショップ SEIWA（P134）」も参考にしてください。

【革の単位】

革はいろいろな形をしているので、
大きさをデシ（ds）という単位で表現します。
10cm 角が 1 デシ。
革の矩形の中で 10cm 角がいくつはまるかで
00 デシの革ということになります。

1ds
10×10cm

レザークラフト売り場（写真提供 SEIWA）

【牛革半裁（背中で2枚に切ったもの）の場合】

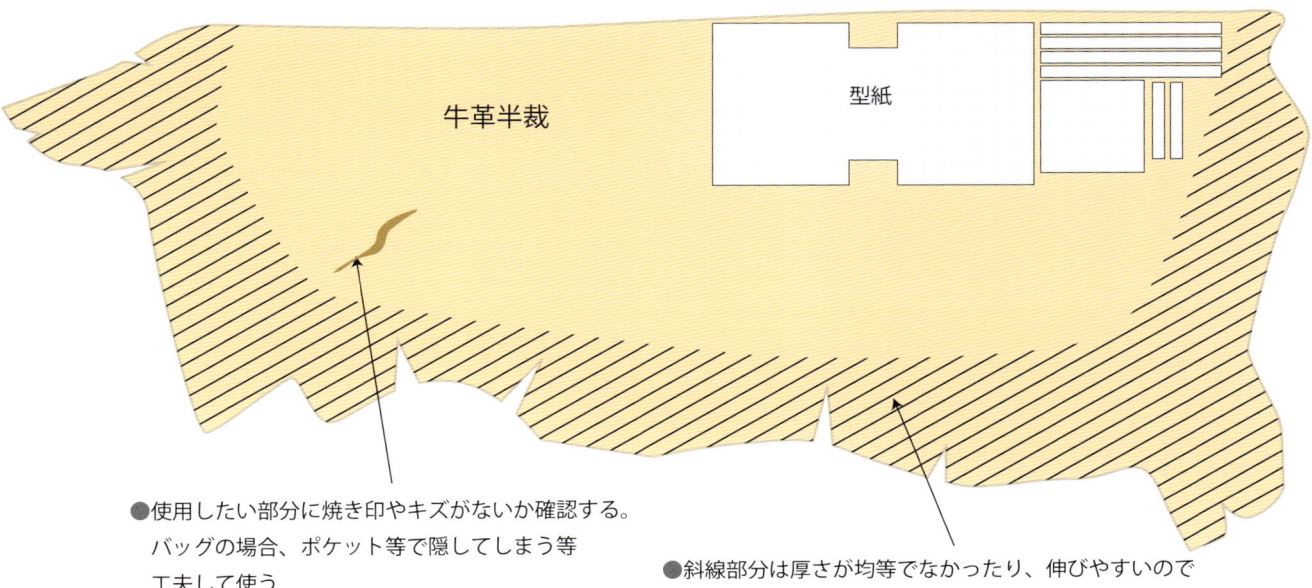

● 使用したい部分に焼き印やキズがないか確認する。
　バッグの場合、ポケット等で隠してしまう等
　工夫して使う

● 斜線部分は厚さが均等でなかったり、伸びやすいので
　バッグ本体や1枚仕立ての持ち手には使用しない。
　小物作りに適している。
　斜線部分のような、端革を購入する際は厚さにばらつきが
　あったり、シワの入った部分を避けて型紙を配置する

chapter 1

革クラフトの基礎

革の裁ち方や縫い方等の、基礎的な作業の仕方です。
最も簡単なペンケースの作り方を基本に解説します。

cutting pattern

基礎のペンケース

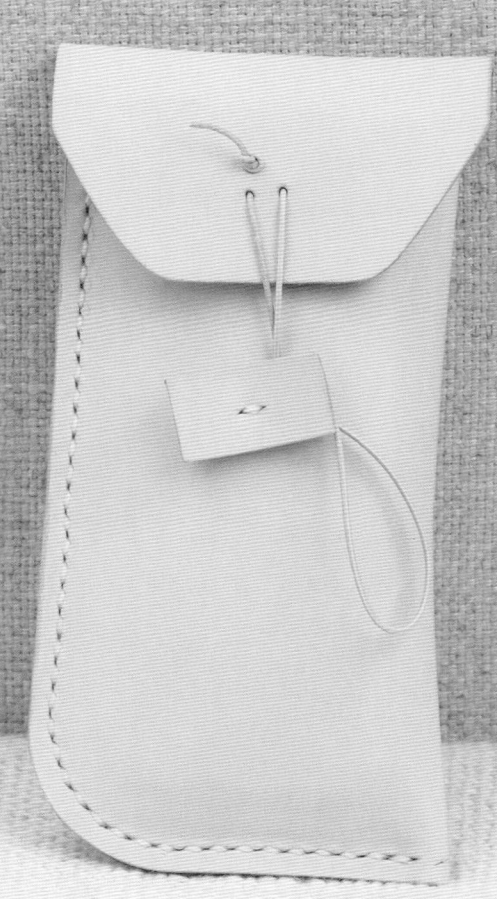

1枚革を畳んで縫い合わせただけの簡単なペンケース。
この作品で革クラフトの基礎の工程を追っていきます。

型紙

100%

型紙の拡大率

この型紙は原寸なので、
100%でコピーして使用します。

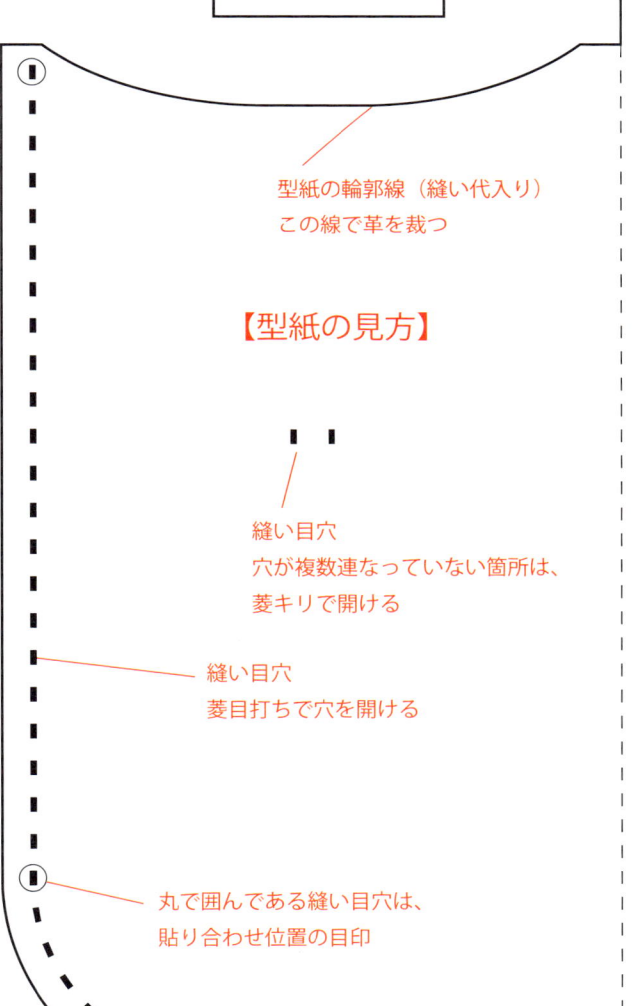

丸穴
ポンチで開ける

ボタン1枚

本体1枚

付属：牛革丸レース（1mm）
30cm

必要な金具やファスナー等は、
型紙ページに掲載しています。

型紙の輪郭線（縫い代入り）
この線で革を裁つ

【型紙の見方】

縫い目穴
穴が複数連なっていない箇所は、
菱キリで開ける

縫い目穴
菱目打ちで穴を開ける

丸で囲んである縫い目穴は、
貼り合わせ位置の目印

基礎の工程

おおまかな制作の流れです。表示ページにそれぞれの制作工程の詳しい解説があります。

パーツが増えたり、立体的な縫い合わせがあるものは、接着以降の手順がすこしづつ違いますが、作業は同じです。

下準備

型紙を作る　P22

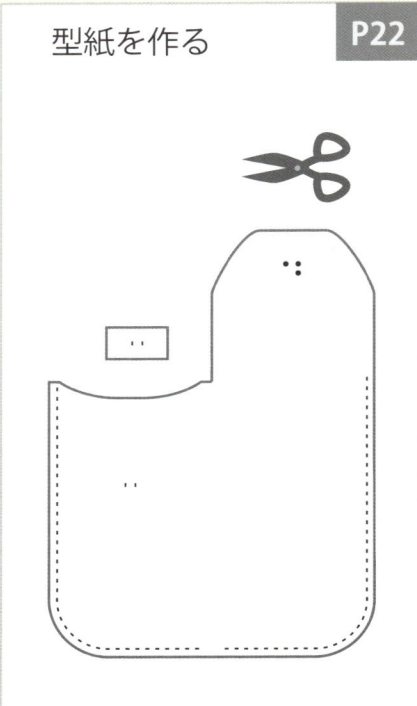

型紙を革に貼る 粗裁ち　P24

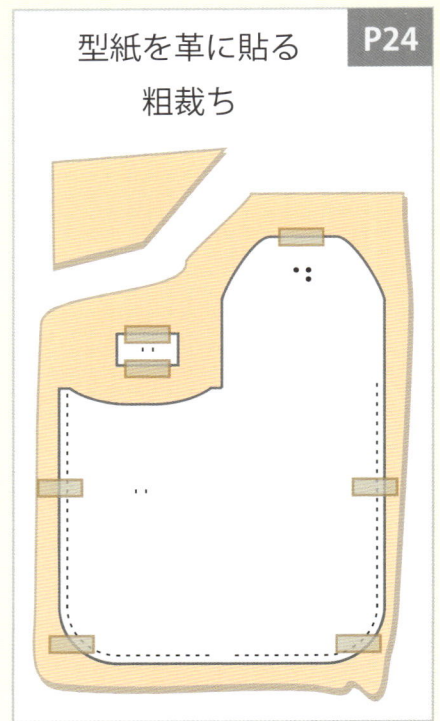

下準備

床面を磨く　P30

コバを磨く　P31

接着

P32

型紙を写す P25	縫い目穴を開ける P26	革を裁つ P28
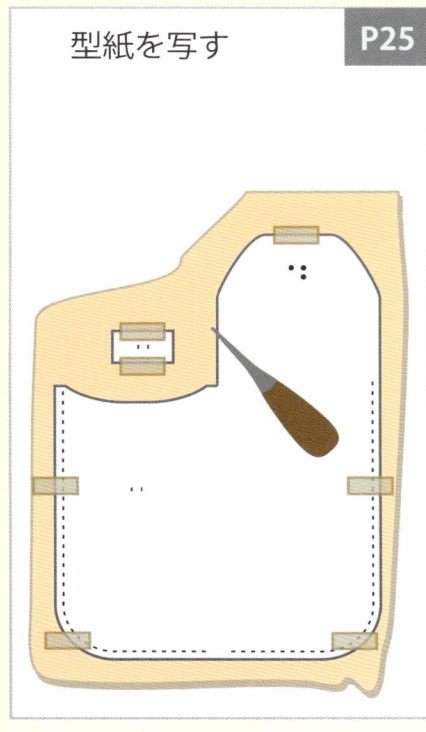	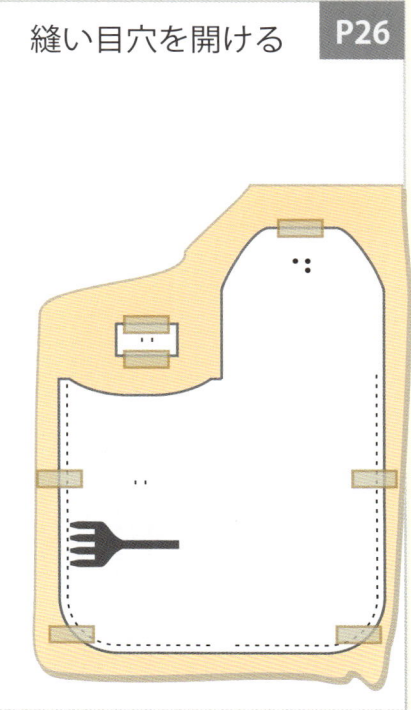	

縫う 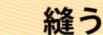 **仕上げ**

P34	P43	完成
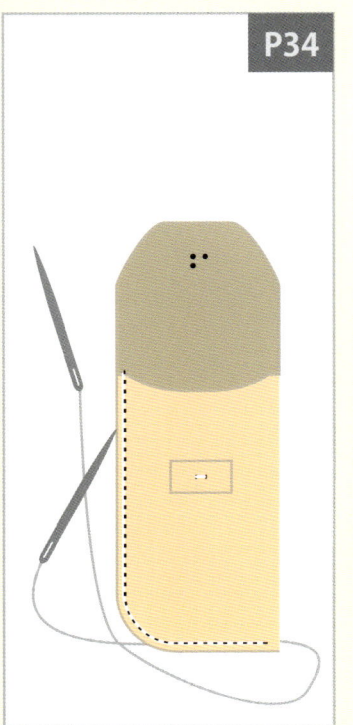	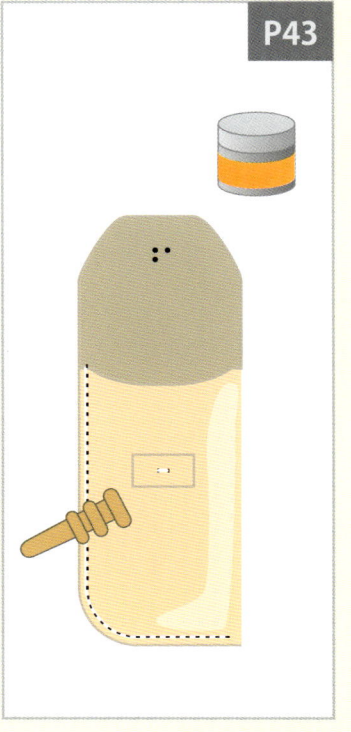	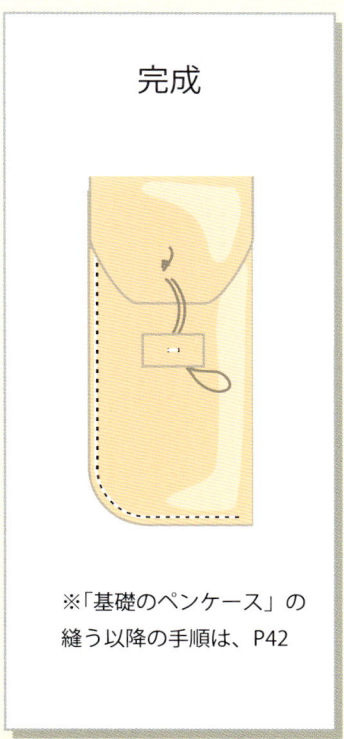

※「基礎のペンケース」の縫う以降の手順は、P42

型紙を作る

型紙ページをコピーし、原寸の型紙をパーツの枚数分作ります。
コピーは、厚手のコピー用紙や模造紙（大判の白い紙。文房具店で購入できる）にスティック糊で貼って補強します。
※紙が伸びてしまうので、水分の多い糊は使用しないでください。
寸法が狂っていないか、直角や水平線がずれていないか確認します。

1 図面がゆがまないように本のノドをしっかりと開き、コピーする

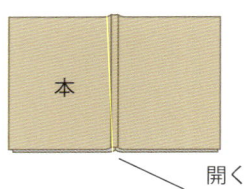

開く

縮小サイズの型紙は拡大コピーする。
型紙ページ脇の 20cm ゲージが
正しいサイズになっているか確認する。
店頭でコピーする場合は、定規を持参し、
ゲージに当てて確認

2 コピーをおおまかに切り抜く

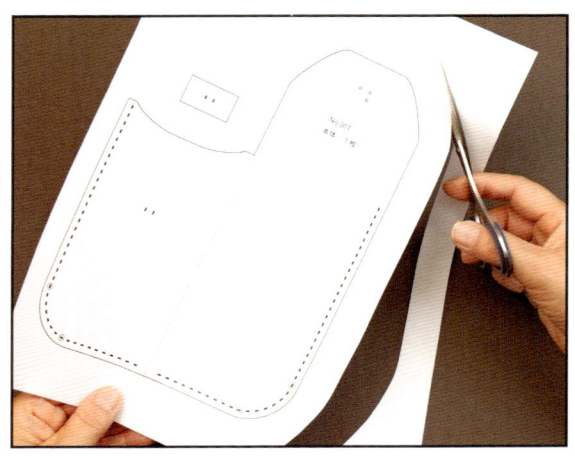

3 模造紙や厚手のコピー用紙に貼る。縫い代部分は、はがれないよう特にしっかりと貼る

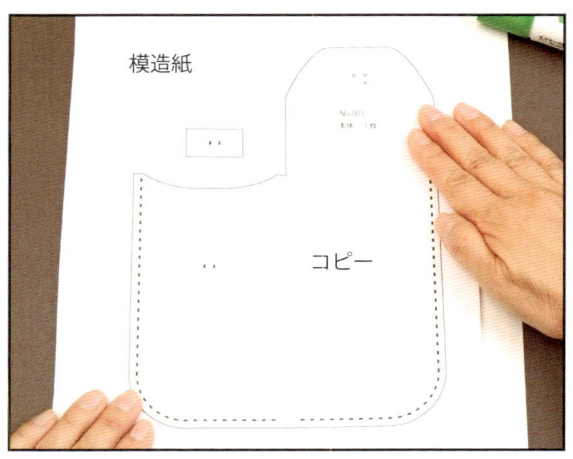

4 輪郭線に沿って切り抜く

【大きな型紙の場合】　1ページに納まらない大きな型紙は、それぞれ拡大コピーしやすいように A3サイズに入るサイズに分けてあります。
型紙は使用枚数分コピーします。

1 模造紙の切り口に輪郭線が合わせやすいように型紙の輪郭線や点線に沿って四角く切り抜く

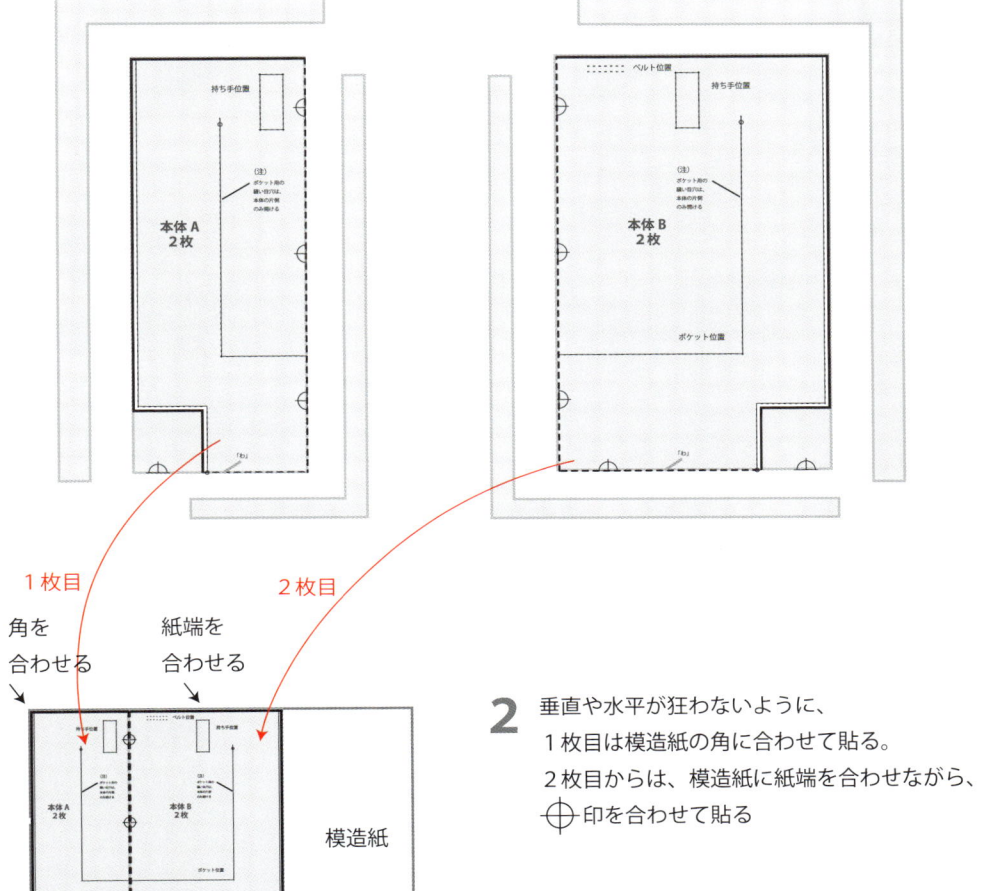

2 垂直や水平が狂わないように、
1枚目は模造紙の角に合わせて貼る。
2枚目からは、模造紙に紙端を合わせながら、
⊕印を合わせて貼る

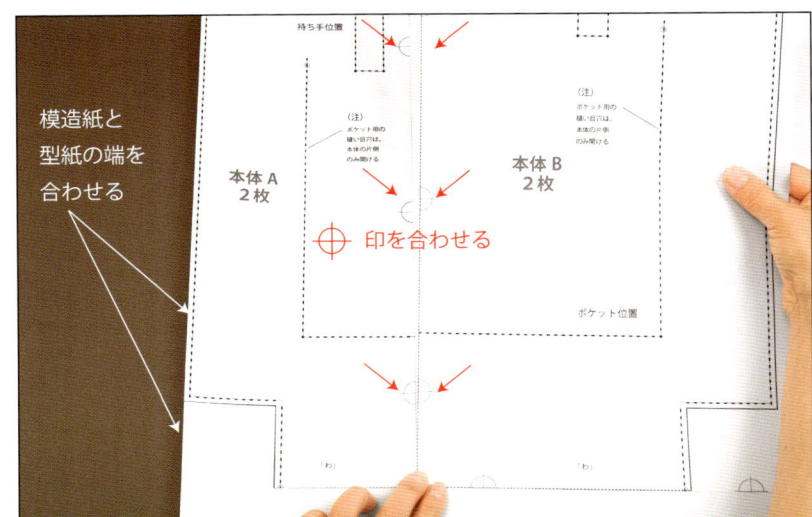

型紙を革に貼る 粗裁ち

型紙を革の銀面にドラフティングテープ（製図等に使う貼ってはがせるテープ）で貼ります。

革がゆがんでいる場合は、水を含ませて絞ったスポンジで銀面を湿らせ、平になるようになじませる。
革が完全に乾いてから、型紙を貼る

1 革の銀面にパーツの型紙を配置して、ドラフティングテープで数カ所とめる

2 革のフチ側は、テープを床面にまわしてとめる

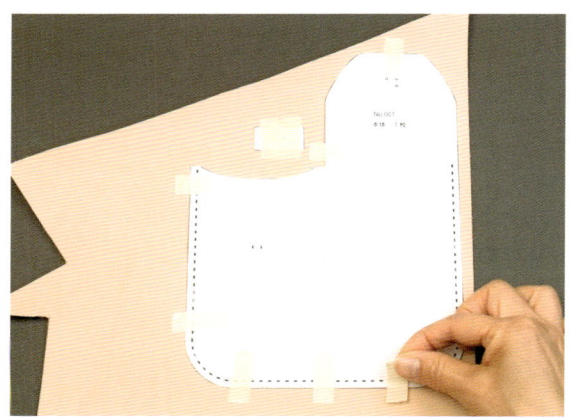
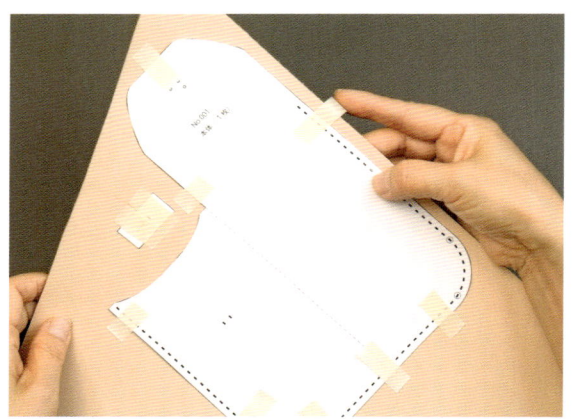

3 大きめの革は、ビニ版を敷き、カッターナイフで粗く断つ。
紙がずれやすいので、型紙の上を押さえずに、必ず革の上を押さえて断つ。
（P28を参照して切ってください。）
裁ち終わったら、切り口側もドラフティングテープを2と同様に革のフチにまわしてしっかりとめる

型紙を写す

型紙の輪郭線を目打ちで銀面に写します。
目打ちは刃を立てず、ねかせてスジを引きます。

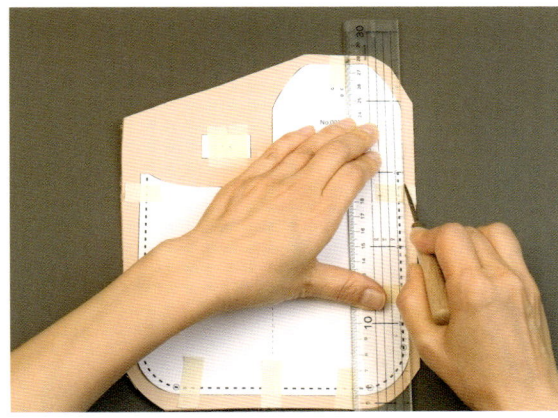

1
直線部分は、
定規を型紙側に合わせて
スジを引く。
テープの上は目打ちで
テープが切れてしまうので、
スジは入れない。
縫い目穴を開けた後、
テープをはがしてから
スジをつなげる

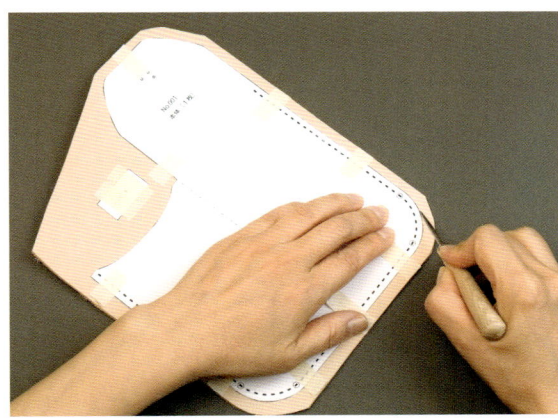

2
曲線は、型紙を押さえながら、
型紙に目打ちの刃を沿わせて
ゆがまないようにスジを引く

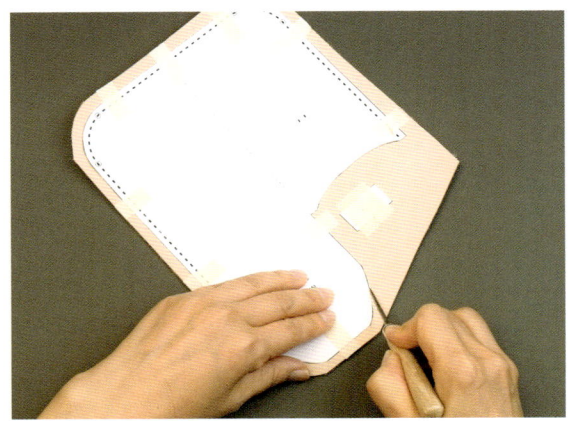

縫い目穴を開ける

型紙の縫い目穴は、5mm ピッチの菱目打ちで開けます。
縫い合わせる箇所のそれぞれの穴は、数を合わせてあります。
穴の数を変えないように注意してください。
真っすぐにきれいに、裏までしっかり開けるには少し練習が必要です。
はじめての方は、革の要らない箇所で穴開けの練習をすることをお勧めします。

【穴開けの基本】

ゴム版に、穴開けの方向が自分に対して垂直になるように革を置く。
菱目打ちを垂直に立て、木槌でたたいて穴を開けていく。
穴がしっかり裏側まで開いているか確認する

自分に対して水平に置いて穴を開けようとすると菱目打ちが斜めになりやすい

ドラフティングテープは、接着力がさほど強くないので型紙がずれないように気をつける。

菱目打ち等の穴開けの用具は、は鋭利な刃物なので、注意して作業する

木槌を打つことに集中して、菱目打ちを持った手が動いてしまうことがあります。
必ず菱目打ちの刃先の位置がずれないようにしっかりと押さえ、木槌を菱目打ちの棒に垂直に打ち下ろします。

【直線の縫い目穴】

1 4本刃の菱目打ちを使う。型紙の穴位置に菱目打ちの刃先を合わせる

2 菱目打ちを垂直に立てる

菱目打ちは下の方を持ち、手が革に触れているようにすると、安定するので刃先が穴位置からズレにくい

【曲線の縫い目穴】

2本刃の菱目打ちを使う。曲線に合わせて刃先を当て4本のときと同様に穴を開ける

【単独の縫い目穴】

菱キリでしっかりと開ける

【丸穴】

ポンチを垂直に当て、木槌で打つ

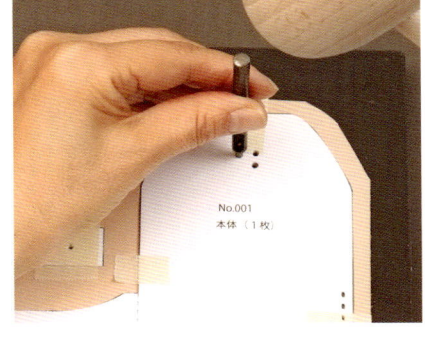

【印を入れる】

穴を全て開け終わったら、
型紙の丸で囲んである縫い目穴の箇所に
目打ちを刺し、裏返して
床面の縫い代に印をつける

銀面

床面

革を裁つ

ビニール版に革を乗せ、大型のカッターナイフを使って切ります。
革は同程度の厚さの紙と比べると切りやすい素材ですが、
伸びたりゆがみやすいので、落ち着いてゆっくりと
目打ちで写した線の上を切り進めます。

【型紙をはがす】

テープを貼った箇所は、
テープをはがしながら
目打ちで型紙の線を書きたす

【革を裁つ際の注意】

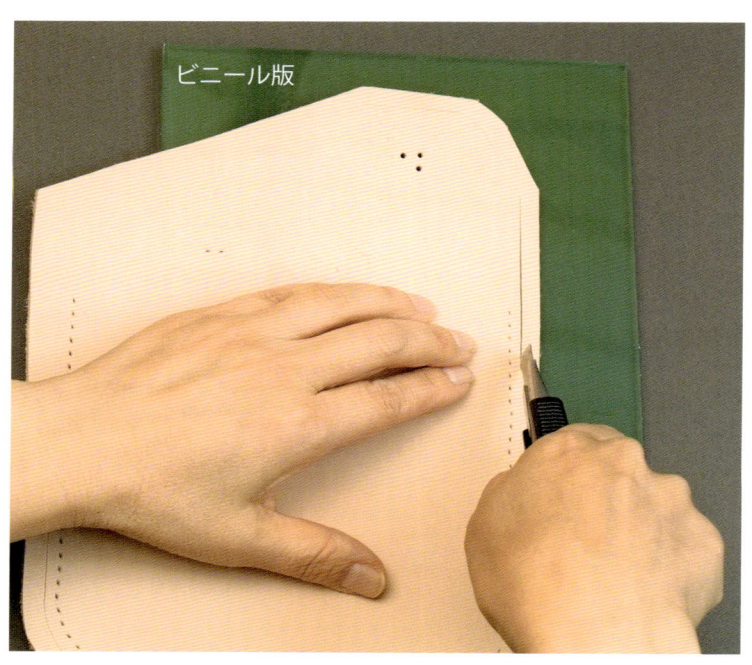

型紙をはがし、
ビニール版を敷いてカットしたい箇所が
身体に対して垂直になるように革を置く。
革をしっかりと押さえ、
ゆっくり慎重に大型のカッターナイフで
線に沿って切る

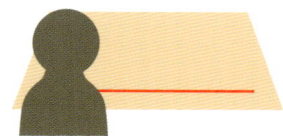

横に向けて切ると
カット線がゆがんでしまう

革はすべりやすいので、
定規を当てて切らない。
カッターの刃の進行方向に
指を置くのも危険なので
注意する

型紙は外れやすいので、
つけたまま切らないこと

【刃を入れる角度】

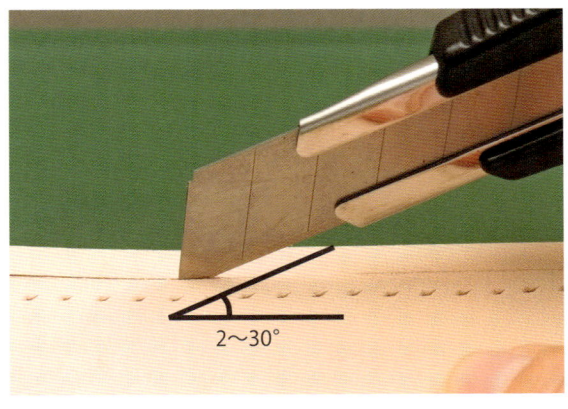

カッターナイフの刃が革に対して20～30度の
角度に入るようにカッターを寝かせて切る。

刃先が左右に振れると、
革の切り口が斜めになってしまう。
厚手の革を切る場合は特に注意する

カッターの刃は、よく切れるように
折って新しくしてから使う

【角を裁つ】

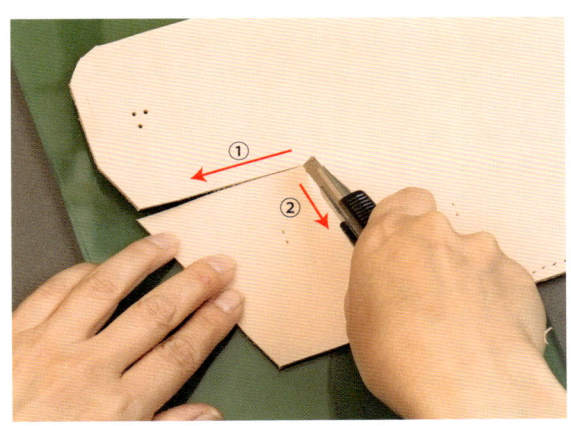

① 交差する角にしっかりと刃を入れ1辺を
　切り進む
② 再度角に戻って、しっかりと刃を入れ
　もう1辺を切り進む

【曲線】

常にカットする進行方向が身体に対して垂直になるように
革を回転させて置き直し、すこしずつ切り進める

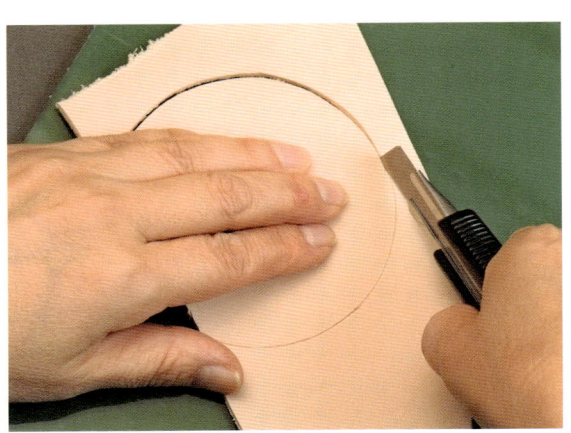

裁ち上がり

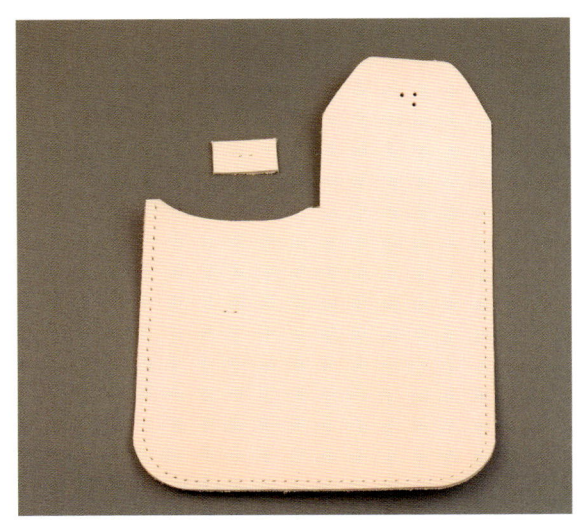

29

床面を磨く

革の床面は、使ううちに革の繊維が毛羽立ってパラパラと剥がれてくるので、トコノールを塗って磨き落ち着かせます。
磨いてある面は接着剤がつきにくいので、接着する箇所は磨きません。

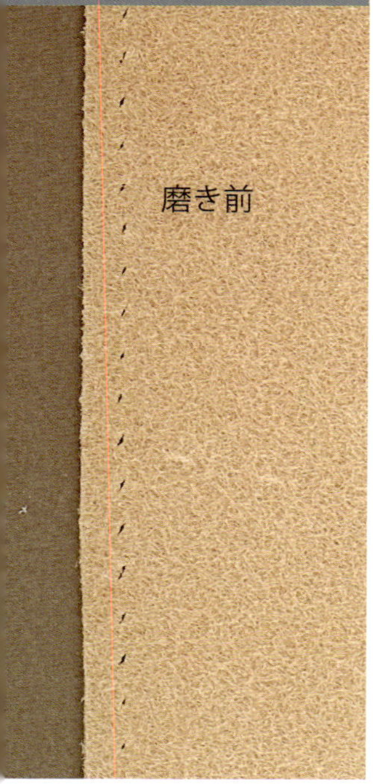

磨き前

磨き済み

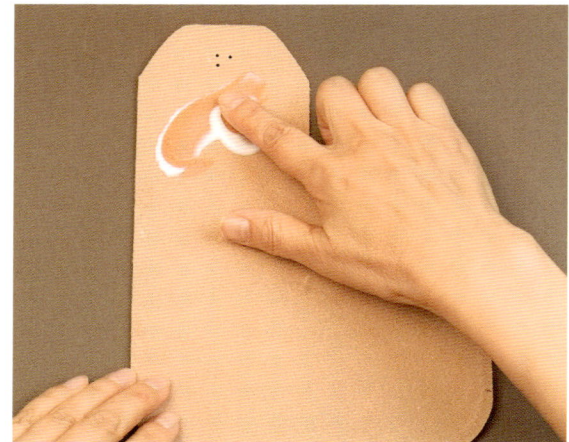

1
トコノールを指に取り、
軽く床面に広げる。
フチに着くと銀面に回って
汚してしまうことがあるので、
フチの近くは避ける

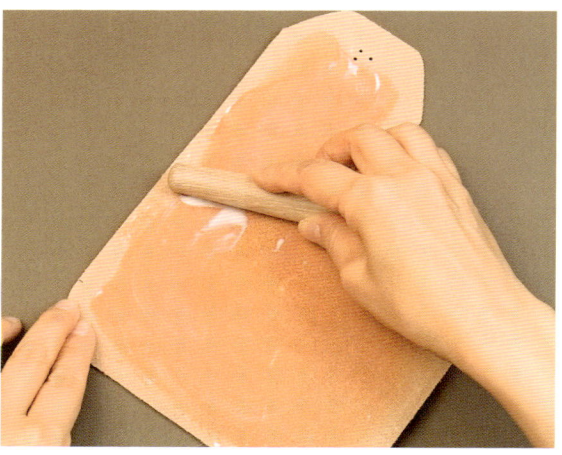

2
プレススリッカー等を使って
革の端まで伸ばしていく。
縫い代は、貼り合わせるので
トコノールは塗らない
（縫い目穴に塗っても
穴がふさがることはない）
1・2の工程を繰り返しながら
全体に塗り広げる

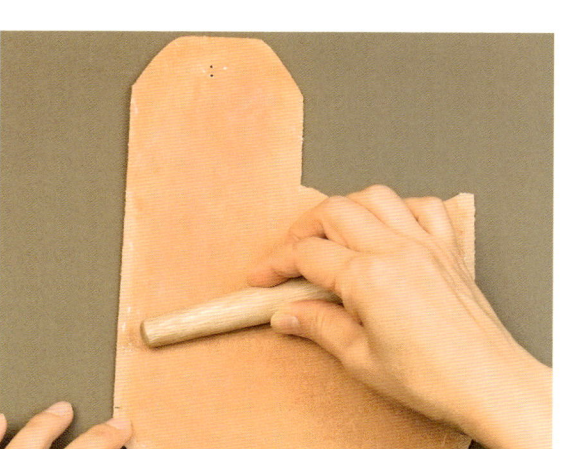

3
生乾きの状態（指をのせて
ベタつかない）になったら、
床面にプレススリッカーを
滑らせるようにして磨く。
こうすることで、床面が
落ち着き、光沢が出てくる

コバを磨く

革のコバもトコノールを塗って磨きます。床面同様、切り口の革の繊維が落ち着き、光沢が出てきます。縫製する箇所の縫い代は、縫い上がってから磨きます。
持ち手、ポケット、留め具等のパーツは、本体に接着する前に磨きます。

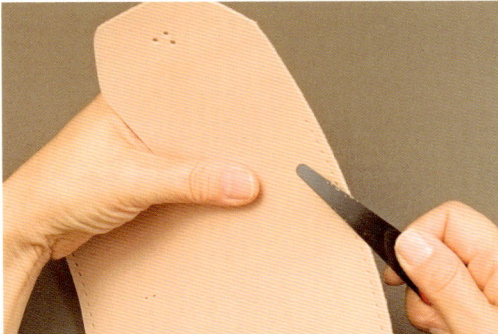

1
カッターで切ったままの革は、
銀面側がとがっていて磨きにくいので、
銀面側をなぜるように
かるくヤスリをかける

2
トコノールを指先に少量取り、
銀面につかないよう注意しながら
コバに伸ばしていく

3
生乾きの状態になったら、
2mm程度の1枚革の場合は、
テーブルに置き、布をコバの角に当て
表、裏両面からこする

厚手の革や縫製後の部分の場合は、
プレススリッカーの革の厚みに
合った凹みを使って磨く

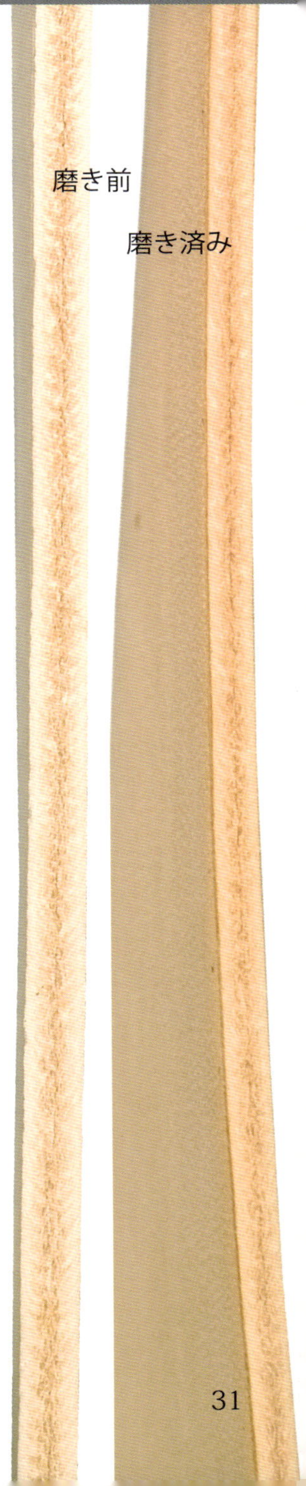

磨き前

磨き済み

革を接着する

本書では、塗った面どうししか接着しないタイプの接着剤を使っています。接着したい箇所の両面に塗って乾かしてから、圧を加えて密着させます。
※基礎のペンケースでは、パーツを付けてから接着します。P42参照
※バッグのように大きなものの接着は、P76参照

貼り合わせる前に
縫い目の数が合っているか
確認する

【縫い目を合わせて貼る】

1 接着剤を縫い代に塗り外側に向かってヘラで伸ばす。銀面側にはみ出ないよう注意する。

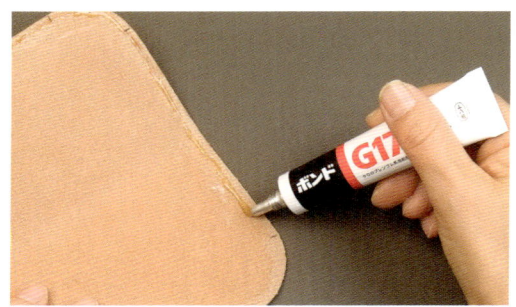

2 接着剤が乾いたら、印をつけた縫い目穴に針を刺し、反対側の印の穴に針を入れる

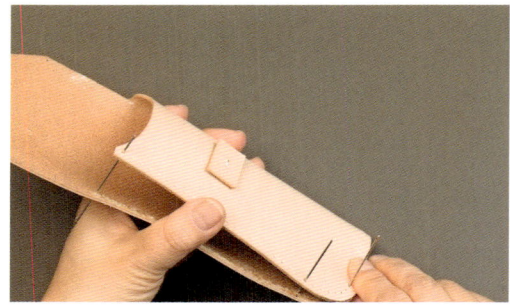

3 接着位置がゆがまないように、針を垂直に立て、静かに押さえて密着させる

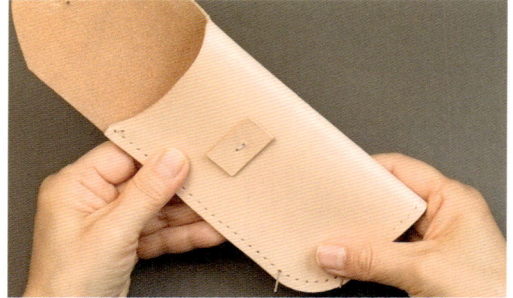

4 目打ちで縫い穴を数目おきに刺し穴位置を合わせて微調整しておくと縫いやすい

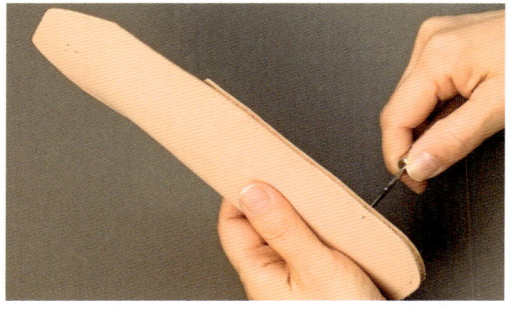

【細長いパーツの場合】バッグの持ち手のように細長いパーツは貼り合わせてから切ります。

1 型紙どうりに裁断した革と一回り大きめに切った革を用意する。接着剤を両方の床面に塗る

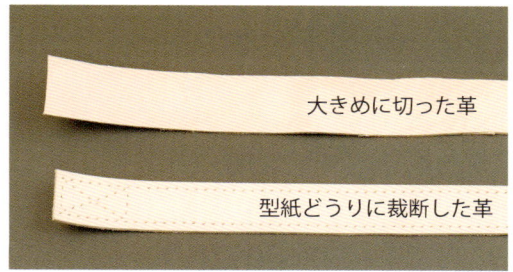
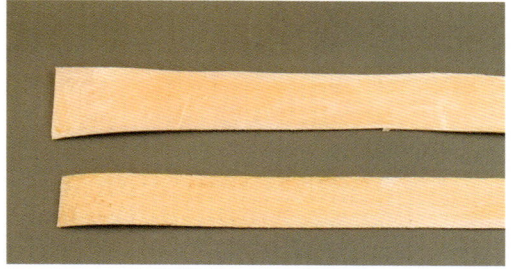

2 貼り合わせる

3 プレススリッカー等で押さえ密着させる

4 型紙どうりに裁断した革の面を表にしてはみ出た革を切る

5 縫い目穴に再度菱目打ちを当て裏側まで穴を開ける。開ききらない場合は、裏返して穴跡を見ながら裏からも菱目打ちで穴を開ける

【銀面やトコノールで磨いてある床面の場合】トコノールで磨いた床面や銀面は密着させにくいので、カッター等でひっかいて荒らしてから接着剤をつける

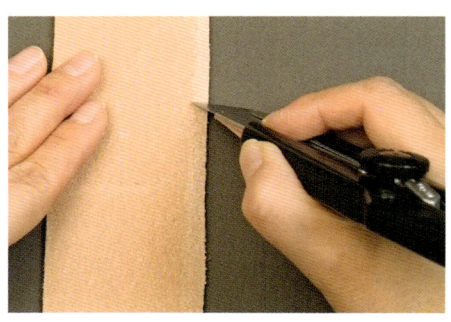

33

糸と針の準備

革の縫製は、革が厚く摩擦が大きいので途中で糸が痩せてしまわないようろう引きした糸を使います。
本書では、ポリエステル製のダブルロー引き糸を使っています。
糸を布に挟んで引き、余分なろうを落とします。

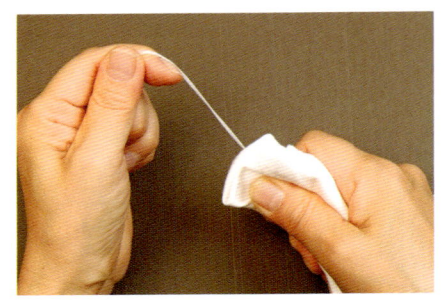

【糸を通す】 糸を引いて縫い締めていくので、糸がゆるまないように針に特殊なとめ方をします。

1 針穴に糸を通す

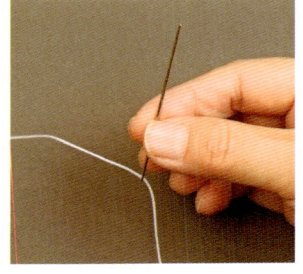

2 糸端を持ち、ねじるようにして糸の撚りを広げ、糸のすき間に数回針を刺す

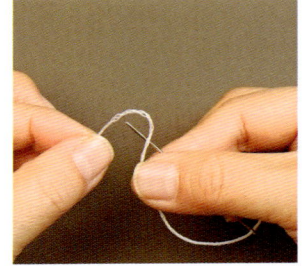 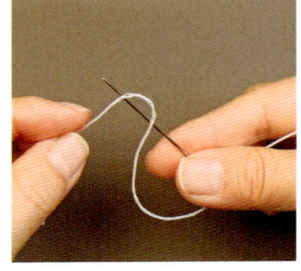 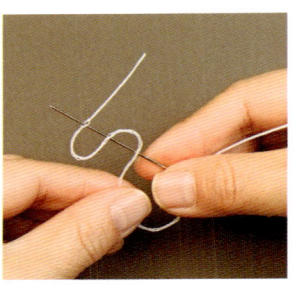

3 糸先を針先と反対側に戻すようにゆっくりと引く

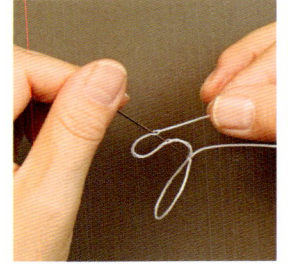 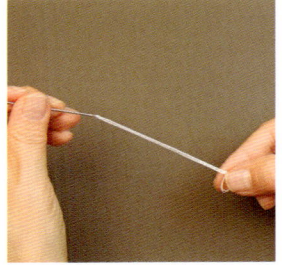

4 長い方の糸を持って引く

5 糸を整える

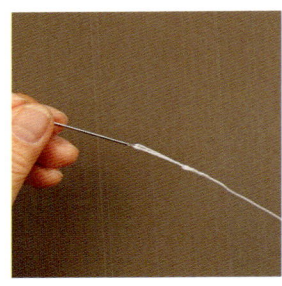

縫いはじめ

縫い終わりが始末がしやすい箇所に来るよう縫いはじめを決めます。

小さなものは、底側から縫いはじめると縫い終わりが入れ口になるので、糸の始末がしやすい

持ち手等の細長く途中で糸が足りなくなりそうなものは、中央から縫い始める

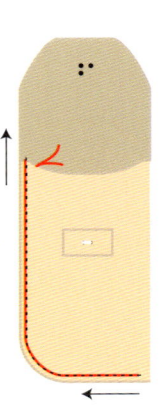

小さなパーツは中央から、並縫いで縫いはじめ、中央に戻る

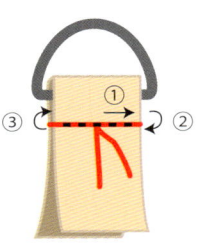

刺しはじめの糸

縫い方にはいくつかの方法（P36～39 参照）があり、
糸の必要量や刺しはじめに出す糸の長さが違います。
★糸が長すぎると縫いにくいので、片側に出す糸の長さは1m弱にとどめます。

ひと針目を刺す

平縫・並縫い

糸の長さ：縫製寸法の約4倍
左右の糸の長さが同じになるように揃える
★平縫いの場合は、糸の両端に針を付けておく

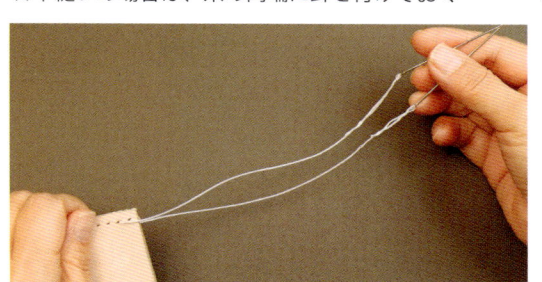

本返し縫い

糸の長さ：縫製寸法の約3倍
裏側から針を刺す

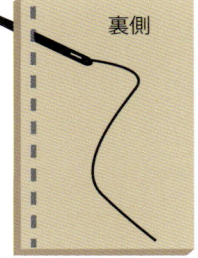 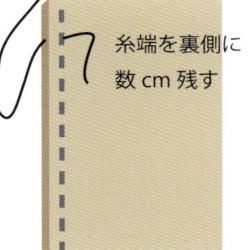

糸端を裏側に数cm残す

ステッチャー縫い

糸の長さ：縫製寸法の約3倍
裏側から針を刺す

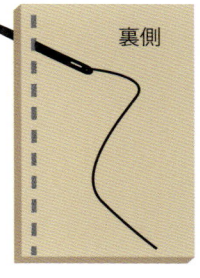 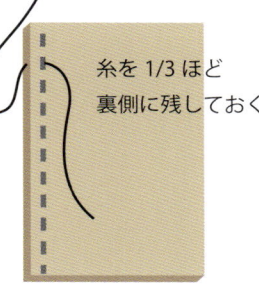

糸を1/3ほど裏側に残しておく

バッグやポケットの入れ口は負担がかかるので、
端を2重に縫っておく。
数目手前に針を入れ、端で2重に縫い、
はじめに針を入れたところまで折り返す

  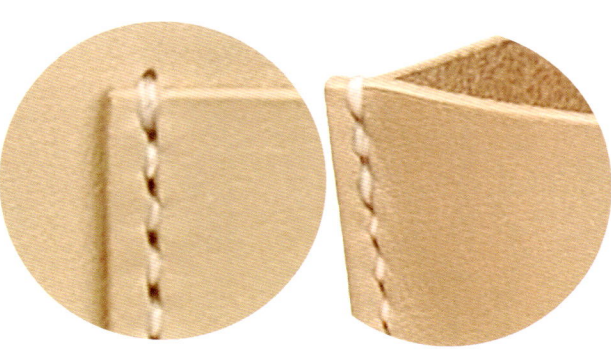

平縫い

手縫いの最も一般的な縫い方です。
2本の針で縫いながら1目ずつしっかりと引き締めていきます。
両側から縫っているので、片方の糸が切れても縫い目はほつれません。

※1本の糸ですが、見やすいように色分けしています。

1 必ず表側にある針（赤）から先に、1目先の穴に刺す

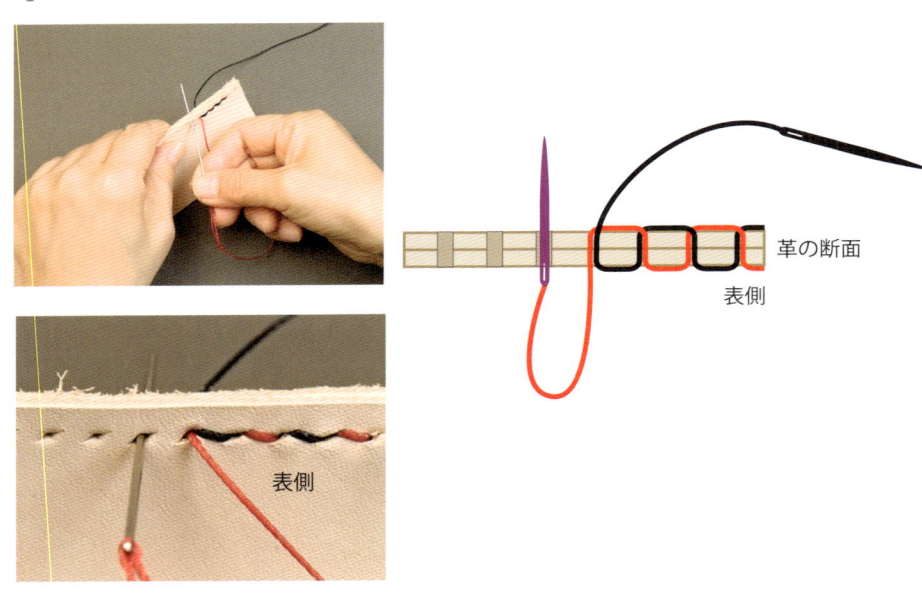

革の断面
表側

表側

2 糸を斜め上に引く

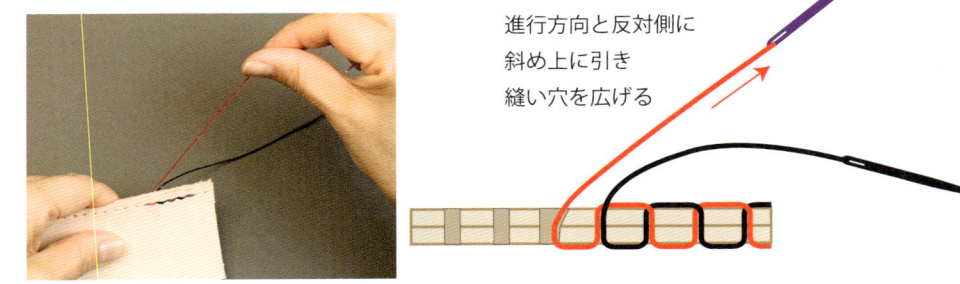

進行方向と反対側に
斜め上に引き
縫い穴を広げる

表
裏

3 同じ穴に、裏側からもう片方の針（黒）を刺す

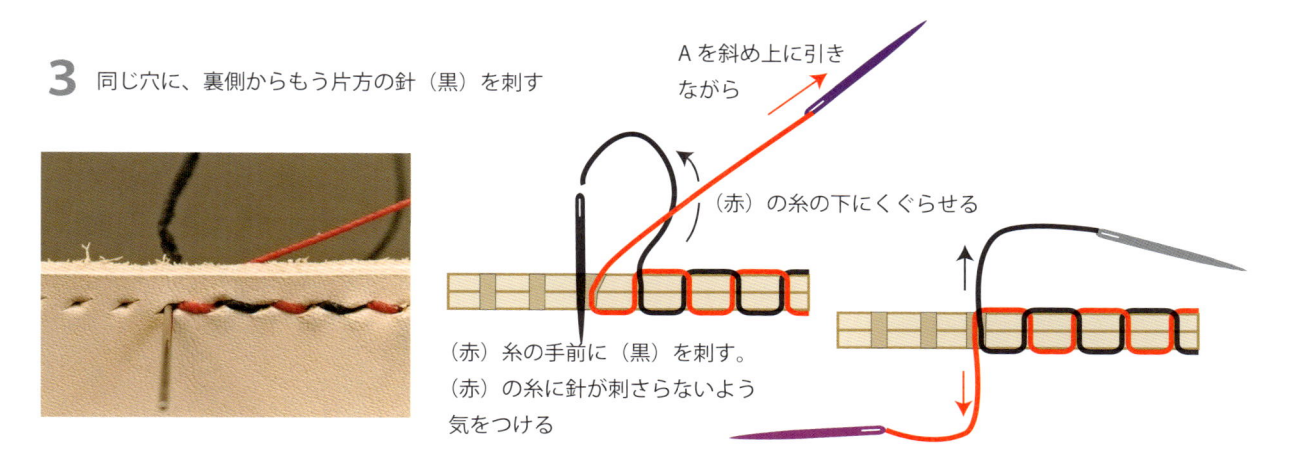

Aを斜め上に引きながら

（赤）の糸の下にくぐらせる

（赤）糸の手前に（黒）を刺す。
（赤）の糸に針が刺さらないよう
気をつける

4 2本の糸を同時に引き締める。次の目も、表側の針を先に刺し、
斜めに引きながら、裏側の針を同じ穴に刺す。こうすると
きれいな縫い目に仕上がる

並縫いで2重に縫うと平縫いと同じような縫い目になります。縫い目の美しさは
平縫いと比べ劣りますが、両側から強く糸を引くと型くずれしてしまう薄い革や
小さなパーツを縫うのに適しています。平縫いがうまく縫えない方も
この方法を試してみてください。

※1本の糸ですが、見やすいように色分けしています。

1 糸の片側に針をつけ、左右の糸の長さが同じに
なるように揃える。
P35を参照し縫いはじめを縫う

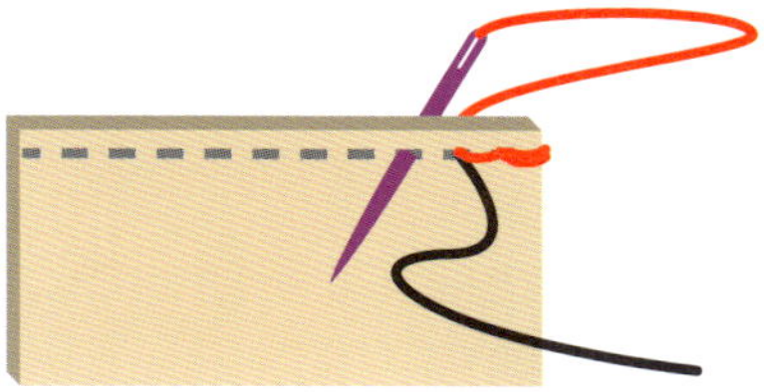

2 片方の糸を並縫いで縫い進める

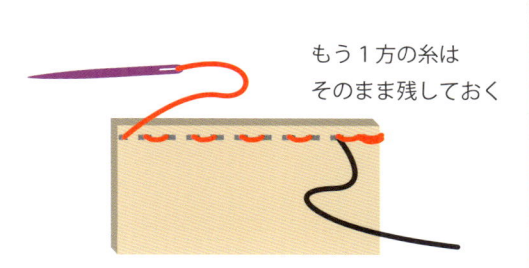

もう1方の糸は
そのまま残しておく

3 片方の針で縫い進めたら、裏側に針を出して糸を切る。
反対側の糸端に針をつけ、縫い糸に針を刺さないよう、
縫い穴のすき間に針を通しながら、並縫いで縫い進める

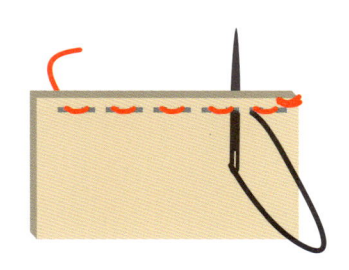

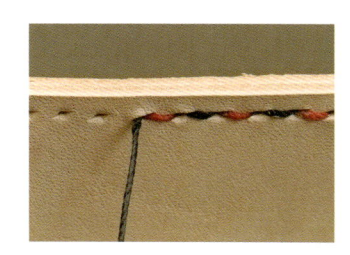

並縫い

37

本返し縫い

裏側が気にならない箇所を縫うのに適しています。

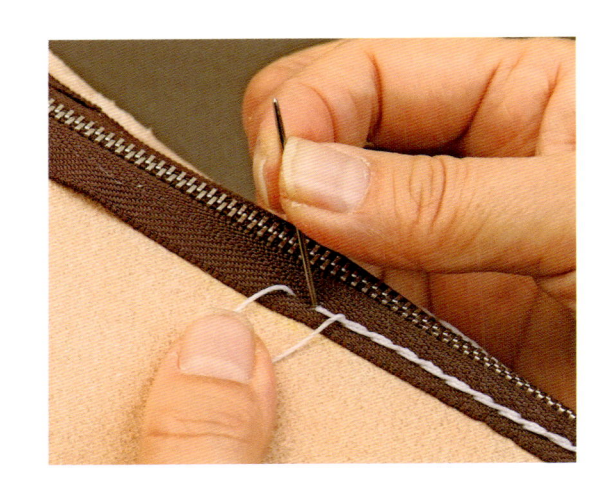

表　裏

【縫いはじめ】

1 縫い止まりの数目手前に裏側から針を刺す

2 P35を参照し縫い止まりを2回縫ってから2目先に針を刺す

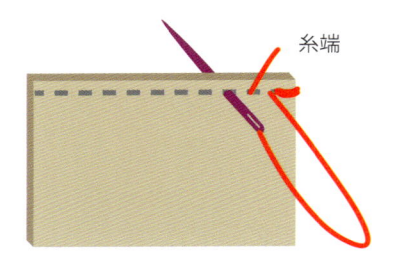

糸端

3 表から、縫い穴を1目戻って裏側に針を出す

【糸の通り方】

表側
革の断面
裏側

① 表側から1目戻って裏側に針を出す
② 裏側から2目先に表側に針を出す
この工程を繰り返して縫い進む

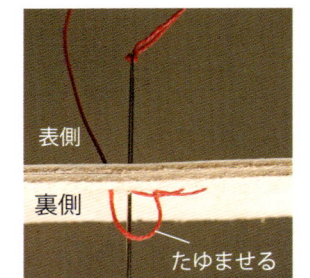

表側
裏側
たゆませる

①の工程で、縫い糸を針で刺すと糸がからんでしまう。きつく糸を引かず、糸を少したゆませておき、糸を避けて針を出すようにする

ステッチャー縫い

ミシンと同じように糸が通る縫い方です。
とても早く縫えます。
1カ所糸が切れるとほつれてしまうことが
あるので、平縫いと比べて強度は劣ります。
革の内側で糸を交差させるので、
厚い革を縫う場合に適しています。
スピーディーステッチャーという
道具を使う縫い方ですがここでは、
道具を使わずに縫っています。

※1本の糸ですが、見やすいように色分けしています。

1 糸の片側に針をつける。P35を参照し縫いはじめを縫う

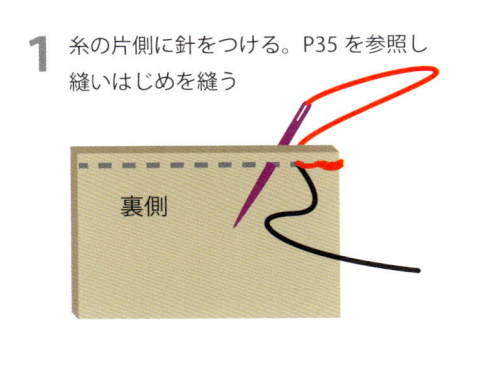

2 表側から針を出し、裏側の針のついていない糸に被せるようにして表に戻す

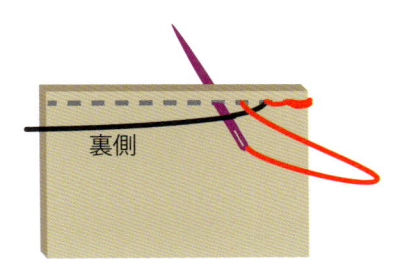

3 表側に戻した糸が革の厚みの内側に隠れるように加減しながらしっかりと両側の糸を引く

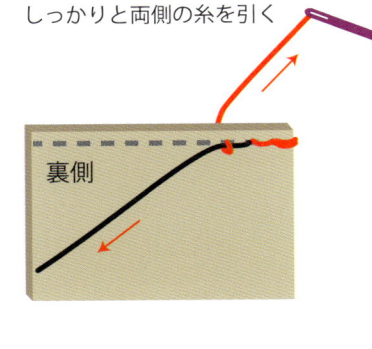

【糸の通り方】

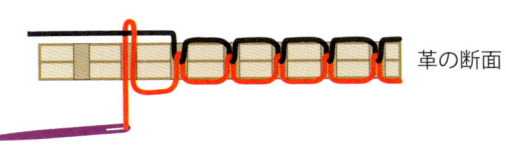

革の断面

悪い例

糸の引き加減が均等でない

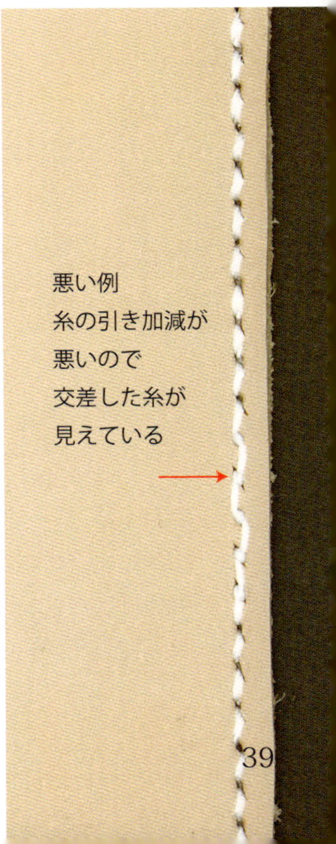

悪い例
糸の引き加減が
悪いので
交差した糸が
見えている

39

糸を継ぐ

1 縫い終わりで表になった針を1目戻って裏側に出し糸を切る。縫い進めると糸止めがしにくい箇所は、ここで糸の始末をする

2 次の糸を最後の縫い目と同じ穴に刺し、縫い進める

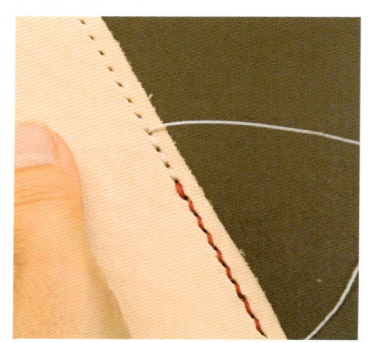

本返し縫いの場合は、最後に裏に出した糸端と同じところに次の針を刺し、本返し縫いで縫い進める

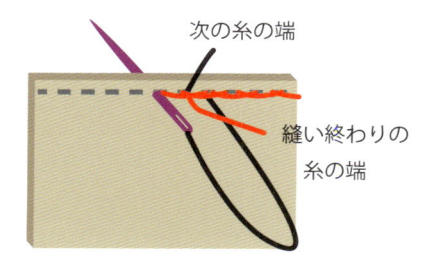

次の糸の端

縫い終わりの糸の端

縫い終わり

1 縫い止まりの数目手前から、片方の糸を裏に出しておき、もう片方の針で端まで縫う

2 端を2重に縫ってから、出しておいた糸の数目後ろまで縫い戻る

本返し縫いの場合は、縫い止まりの数目手前から並縫いする。端を2重に縫ってから、返し縫いの1目手前まで縫い戻る

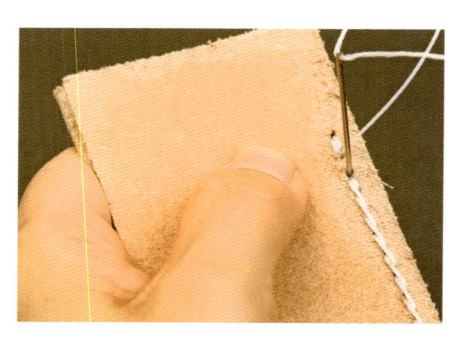

糸の始末

糸の始末は、本体の内側や持ち手の場合は裏面になる側など、
なるべく目立たないところでしましょう。
始末の仕方は、縫い終わりの場所に合わせてやりやすい方法を選んでください。

【糸を結ぶ】　糸先や結び目が見えても大丈夫なバッグの内側等で始末する場合に使います。

1 糸端を軽く結ぶ。縫い目穴が塞がるように穴の上に木工用ボンドをつける

2 もう一度しっかり結び、糸をきつく引く。目打ちの頭で糸先を押さえておく

【熱で止める】　ポリエステル製の糸は熱で糸先を溶かしてとめることができます。

1 糸先を2～3mm残して切る。ライターで糸の先端をあぶって溶かす。燃え移らないようじゅうぶんに注意する

2 素早くライターの底で押さえる

革は熱に弱いので
炎を当てないこと。
バッグの内側等
ライターを扱いにくい
箇所は、他の方法でとめる。
※ライターの扱いには
注意してください。

【糸を切ってとめる】

糸先を2～3mm
残して切る。
目打ちにボンドを付け
縫い穴に塗る。
縫い穴がふさがるように
目打ちの頭で押さえておく

パーツつけについて

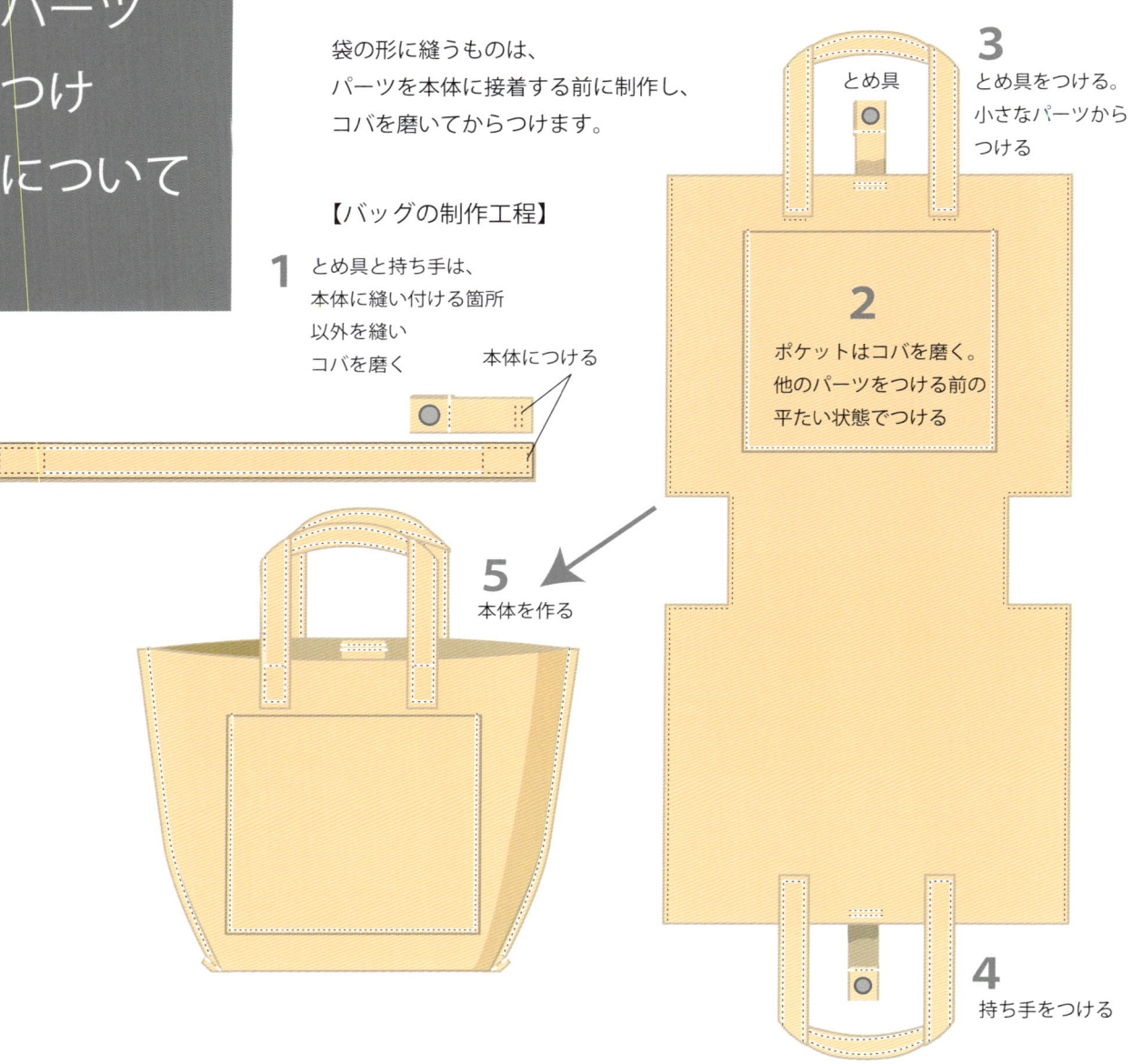

袋の形に縫うものは、パーツを本体に接着する前に制作し、コバを磨いてからつけます。

【バッグの制作工程】

1 とめ具と持ち手は、本体に縫い付ける箇所以外を縫いコバを磨く

本体につける

2 ポケットはコバを磨く。他のパーツをつける前の平たい状態でつける

3 とめ具をつける。小さなパーツからつける

とめ具

4 持ち手をつける

5 本体を作る

【基礎のペンケースの工程】

1 接着の前にパーツを縫い付ける。穴を合わせて数回裏側で糸を始末する

2 縫い目穴の印を合わせて接着し、底の角から縫いはじめる

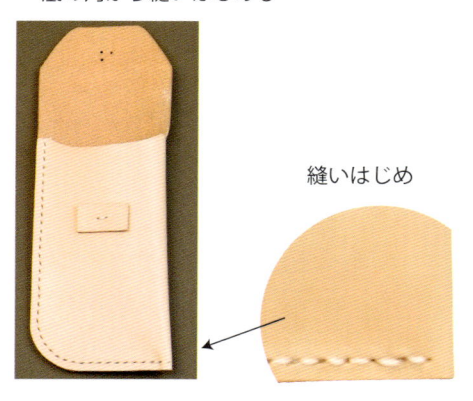

縫いはじめ

仕上げ

縫い上がったら縫い合わせた箇所の縫い代を整えます。
基礎のペンケースのように平たいものは、ふくらませると
ペンが出し入れしやすくなります。

【コバを整える】

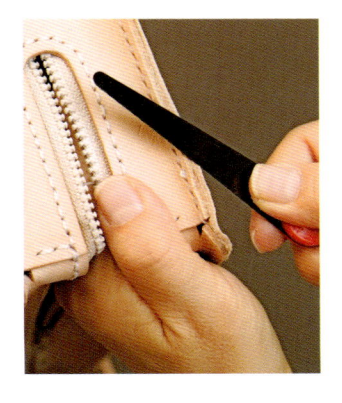

1 不揃いな縫い代は、ドレッサー（ヤスリ）で平らに整える

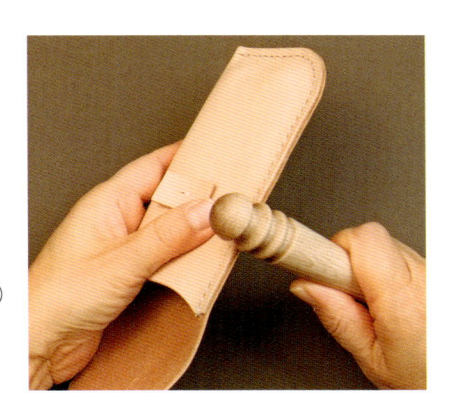

2 トコノールを塗り、プレススリッカーを当てて磨く。

【ふくらませる】

1 水を含ませて絞ったスポンジで銀面革から全体を軽く湿らせる

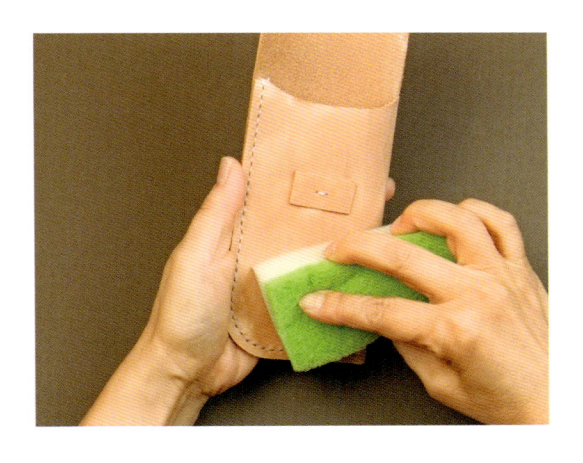

2 内側から縫い目部分をプレススリッカーでこすり押し広げたり、畳んだ紙等を差し込む。底に当たる紙の角は、ケースの底が伸びてしまわないように丸みを持たせておく

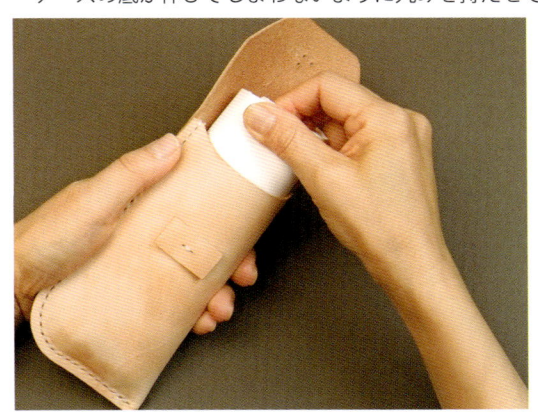

【基礎のペンケースの完成】

最後に革ひもを穴に通して完成です。

革用のオイルを塗っておくと汚れやカビを防ぐことができ作品が長持ちします。

ヌメ革の経年変化で紹介した針入れです。
金具がついているのでとても本格的な革クラフト風ですが、
2枚の革を平たく縫い合わせるだけの簡単な構造です。作り方は P51

chapter 2

シンプルな構造のバッグや雑貨

chapter 1 で紹介した方法で作れる作品の
デザインバリエーションです。

cutting pattern

封筒形
ケース

基礎のペンケースと型紙サイズが違うだけて同じ構造です。

how to make

1 革を型紙の通りに縫い目穴を開け、裁つ。
床面やコバを磨いておく

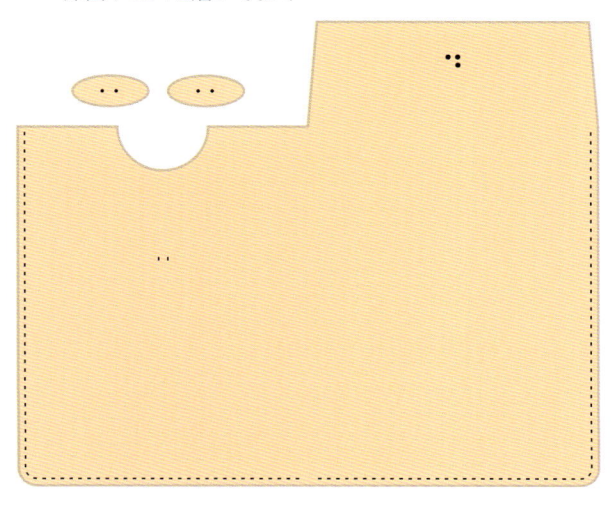

2 ボタンのパーツ2枚を床面を合わせて接着する。
本体に縫い付け、糸を裏側で結んでおく

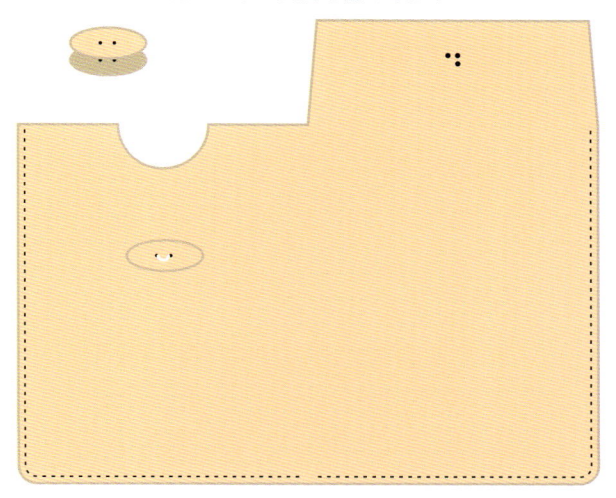

3 縫い目穴の印を合わせて接着する。
目打ちで縫い穴を数目おきに刺し
穴位置を合わせて微調整しておくと
縫いやすい

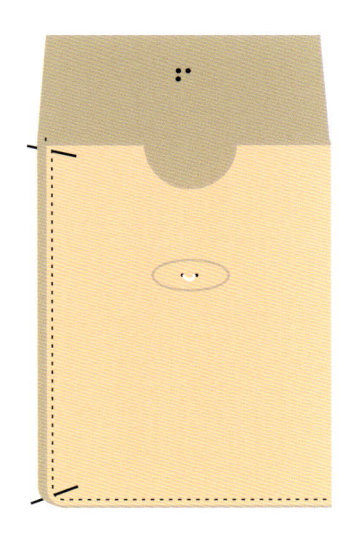

4 底の角から縫いはじめる

縫いはじめ

5 革紐を通し
両端を結ぶ

cutting pattern

パスと名刺のケース

2枚を重ねて縫い合わせます。がまぐちのように、上部を交差させると入れ口がとまります。パスケースは、紐をゆるめて開閉してください。

how to make

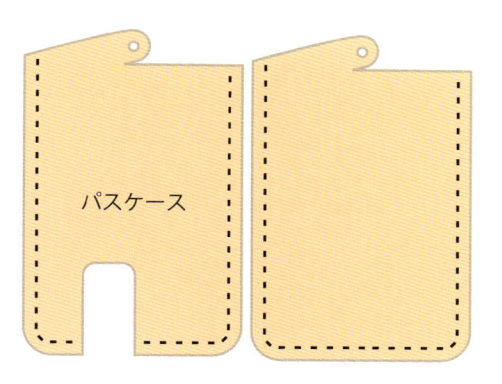

1 革を型紙の通りに縫い目穴を開け、裁つ。
床面やコバを磨いておく

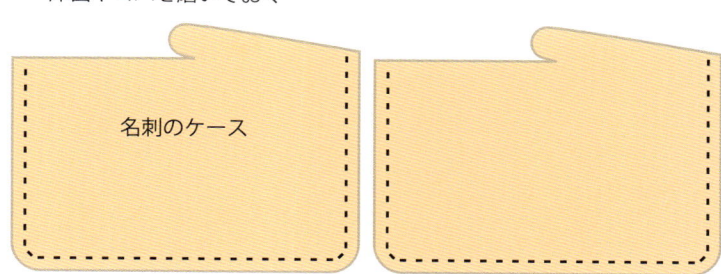

パスケース

名刺のケース

2 縫い目穴の印を合わせて接着し、縫う

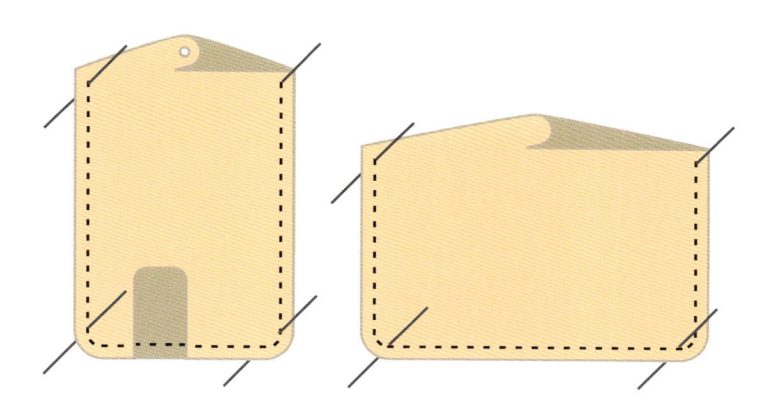

detail

革ひもを通す

cutting pattern

CDサイズのバッグ

CDが入るサイズの小さな2枚はぎのバッグです。
きれいに仕上げるポイントは、手を入れる楕円の穴のコバをよく磨いておくこと。

how to make
CDサイズのバッグ

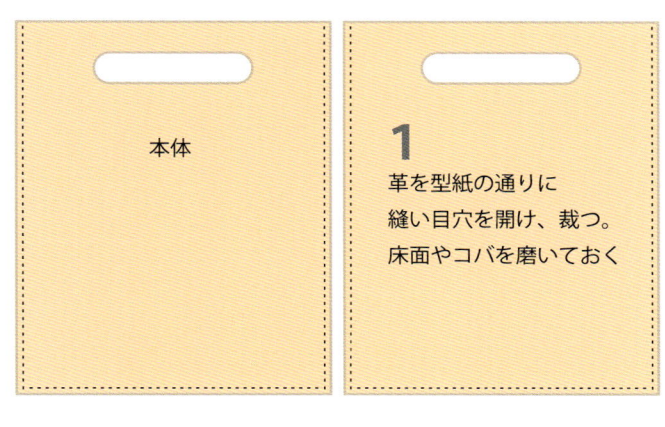

本体

1 革を型紙の通りに縫い目穴を開け、裁つ。床面やコバを磨いておく

2 本体の底面に接着剤を塗り他の場所が接着しないように紙を挟んで2枚を床面を内側にして合わせる。縫い目穴を合わせながら接着する。

数目ずつ紙をずらして貼り進める
底面を貼る
紙

3 2と同様に側面も片側ずつ接着剤を塗り接着し、縫う

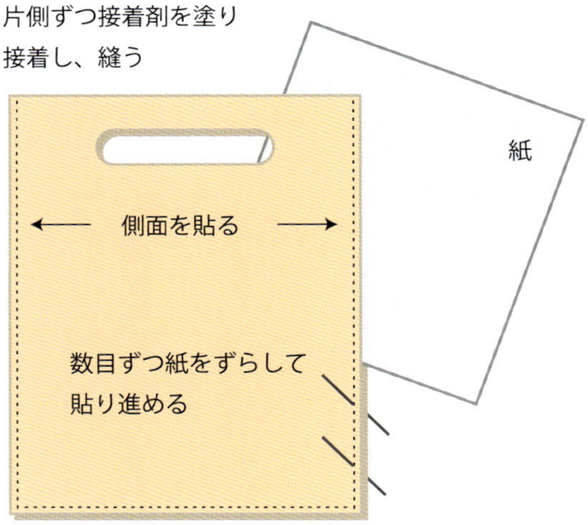

側面を貼る
数目ずつ紙をずらして貼り進める
紙

縫い上がり
入れ口
底側

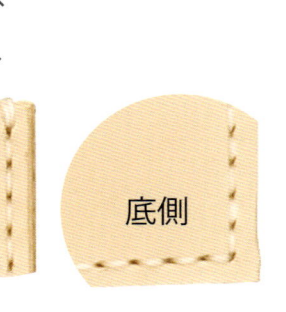

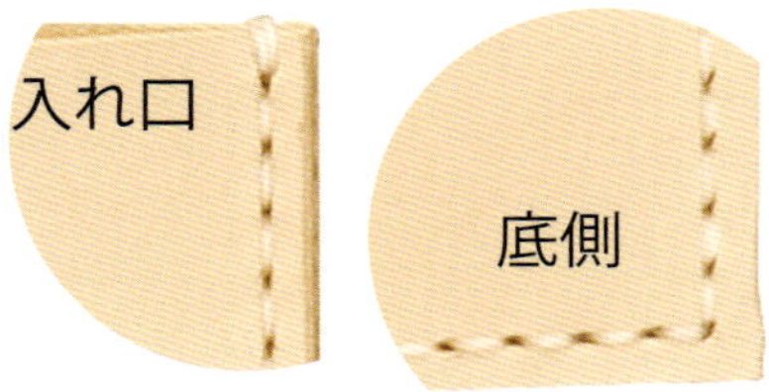

how to make
針入れ（P44）

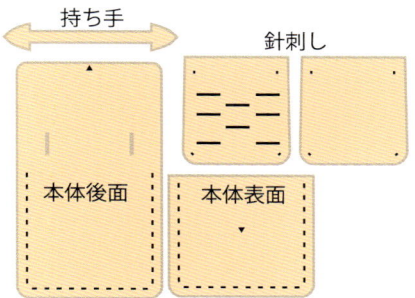

持ち手
針刺し
本体後面
本体表面

1 革を型紙の通りに縫い目穴を開け、裁つ。床面やコバを磨いておく

2 金具（錠）を中央の印に合わせてつける

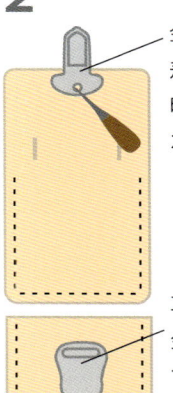

金具を革を挟むように差し込んで目打ちで印をつけ、カシメでとめる

革に切り込みを入れ金具の足を折り曲げる。マグネと同じつけ方。P87の5参照

3 本体を床面を内側にして縫い目穴の印を合わせて接着し、縫う。持ち手を差し込む

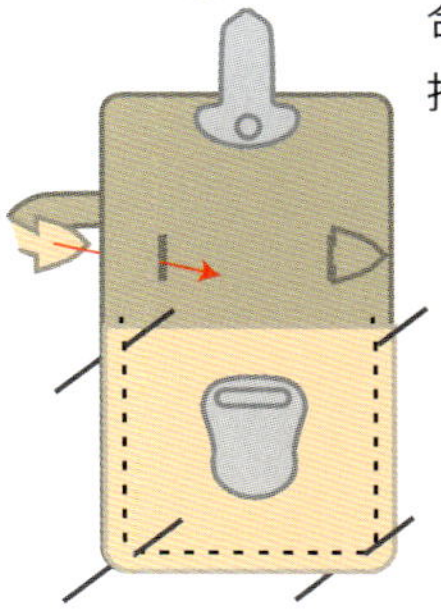

針刺しは、側面に接着剤を塗りそれぞれの縫い目穴を合わせて縫う

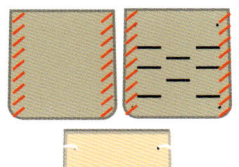

cutting pattern

LPサイズの2バッグ

大きな革のLPサイズのバッグです。持ち手をつけるとまた違う印象に。

how to make

ベルト
前面　後面

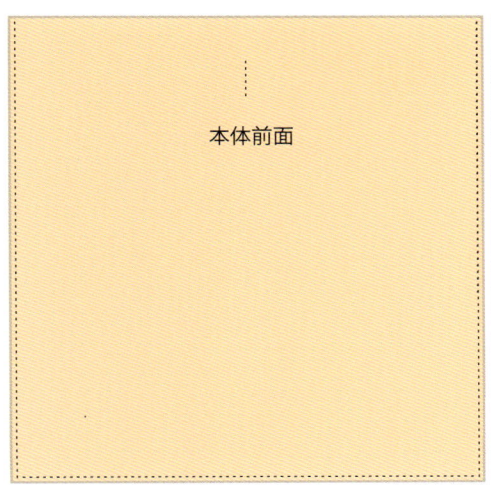

1
革を型紙の通りに
縫い目穴を開け、
裁つ。
床面とコバを磨く

本体前面

本体後面

2
バックル（線コキ）に前面ベルトを通し、
縫い目穴を合わせて畳み、
接着する。本体前面の
縫い目穴と合わせて接着し、
縫う

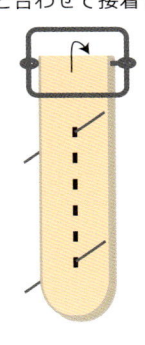

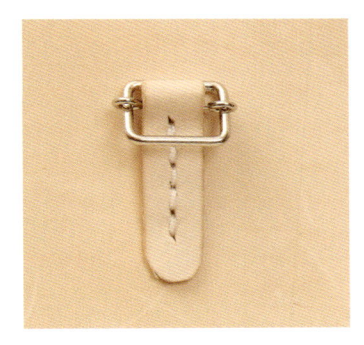

3
後面ベルトを本体後面に
縫い目穴を合わせて接着し、
縫う

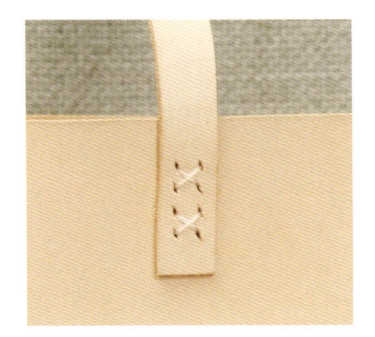

4
本体の底面の縫い代に接着剤を塗り
他の場所が接着しないように
紙を挟んで、床面を内側にして
2枚を合わせる。
縫い目穴を合わせながら接着する
次に、側面を底面と同様にそれぞれ
接着し、縫う

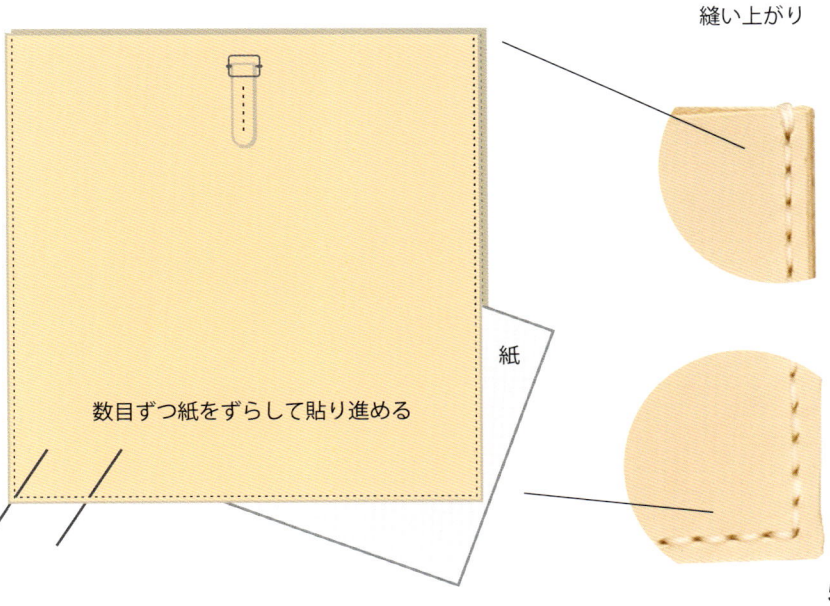

数目ずつ紙をずらして貼り進める

紙

縫い上がり

cutting pattern

手帳カバー

文庫本サイズの手帳やノートを差し込んで使いましょう。

how to make

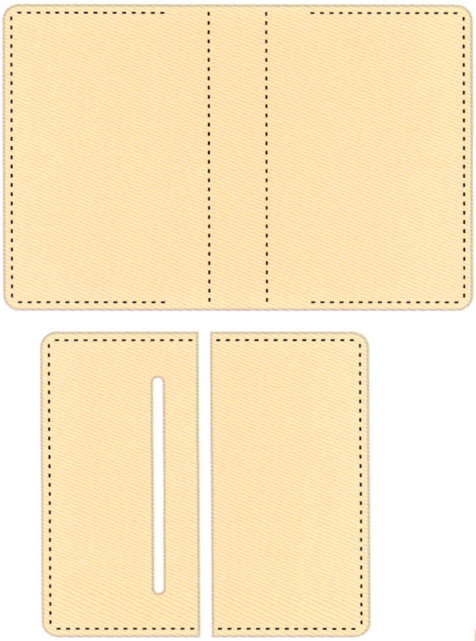

1 革を型紙の通りに縫い目穴を開け、裁つ。
床面とコバを磨く

2 片側ずつ、床面を内側に縫い目穴の印を合わせて接着し、縫う

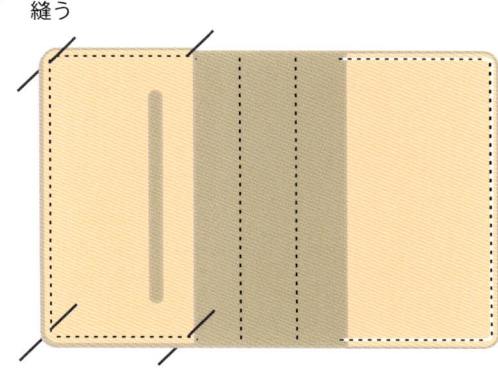

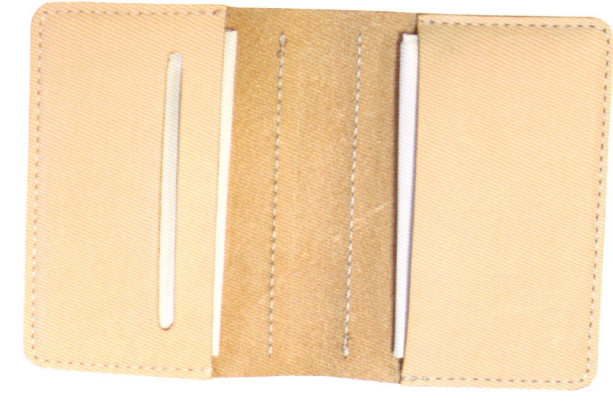

3 革を湿らせて畳んだ紙等を
ポケット部分に差し込み、
革を伸ばして手帳の表紙が
入りやすいように形を整える

detail

cutting pattern

ツールポーチ

ベルトに通すタイプです。ヌメ革なのではじめは硬く感じますが、
次第にベルトのカーブになじんできます。
入れたいツールのサイズに合わせて型紙を修正してください。

how to make

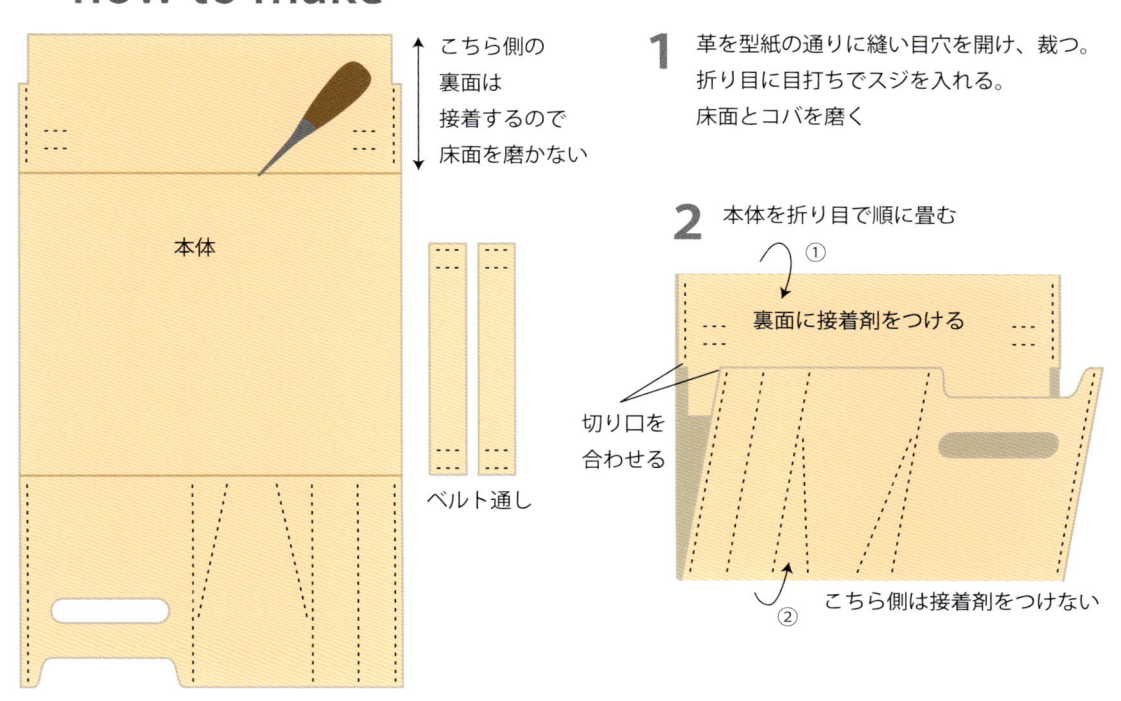

1 革を型紙の通りに縫い目穴を開け、裁つ。
折り目に目打ちでスジを入れる。
床面とコバを磨く

こちら側の裏面は接着するので床面を磨かない

本体

ベルト通し

2 本体を折り目で順に畳む

① 裏面に接着剤をつける

切り口を合わせる

② こちら側は接着剤をつけない

3 縫い目穴に菱目打ちを重ねて打ち、背面の革まで穴を通す。革が厚いときは、裏から穴跡に菱目打ちを打つ

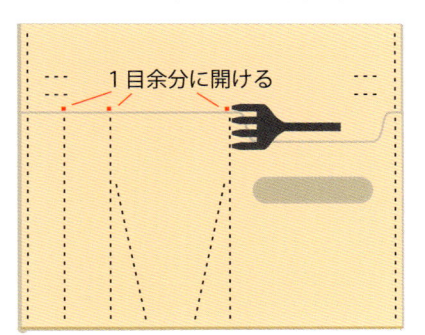

1目余分に開ける

4 縫い目穴のとおりに縫う

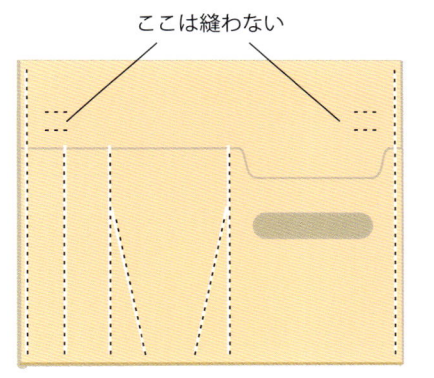

ここは縫わない

5 ベルト通しを縫い目穴を合わせて畳み、接着して縫う

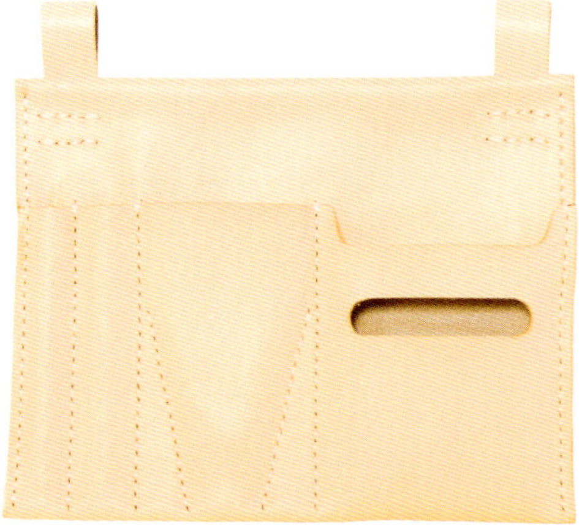

6 革を湿らせて畳んだ紙やペン等をポケット部分に差し込み、革を伸ばして使いやすいように形を整える

57

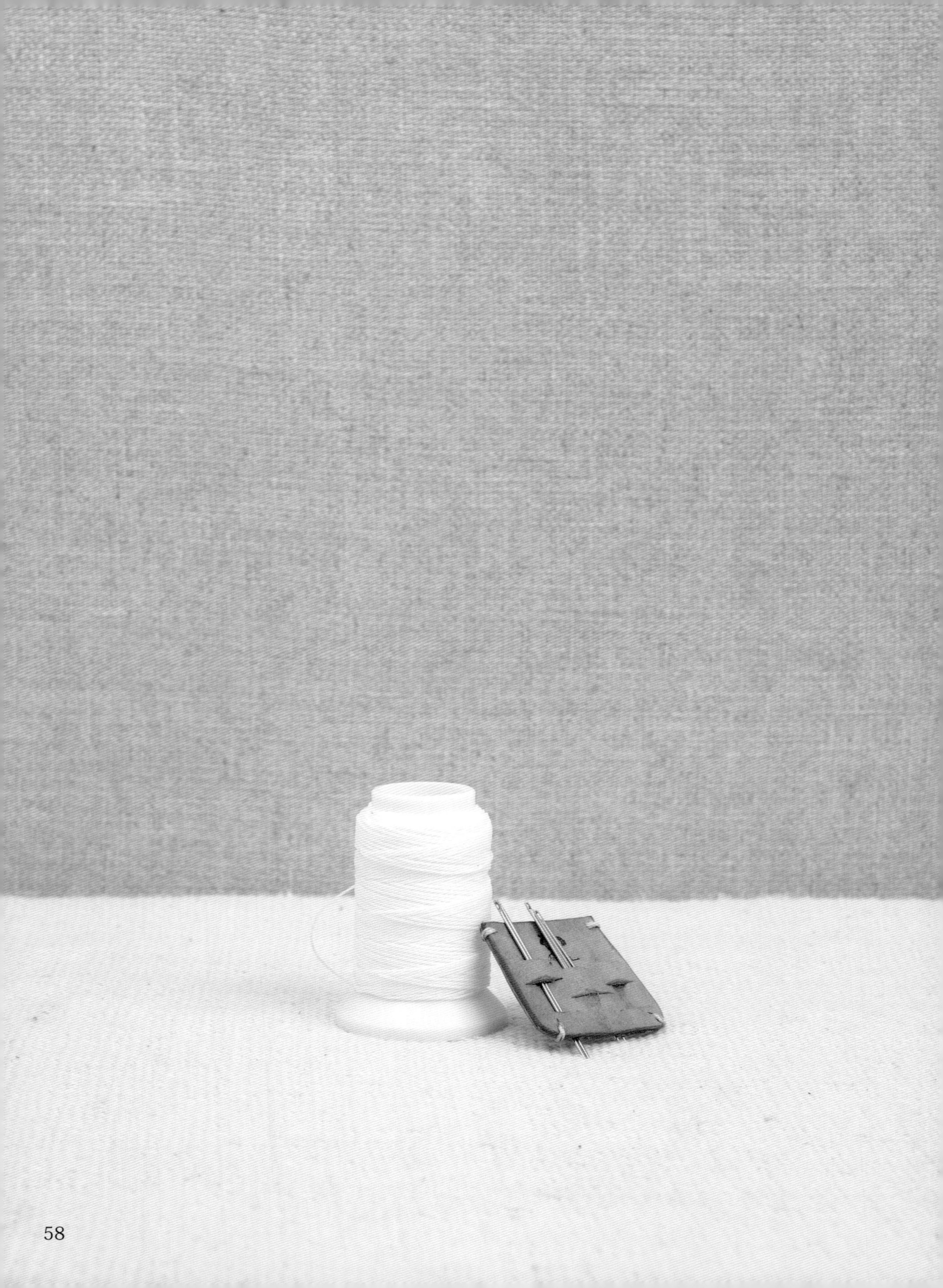

chapter 3

応用の工程

chapter 1の基礎の工程を基本に作る応用作品です。
パーツの多いものや、立体的に縫い合わせるもの等、応用の
デザインに則した制作のポイントは以下に載せてあります。
基礎・応用ポイントの両方に立ち戻りながら制作してください。

ファスナーをつける	61
持ち手を変える	71
持ち手を作る	72
大きい革を接着する	76
１枚革のバッグを作る	82
ストラップを作る	90
曲線の底を接着する	108
４面マチのバッグを作る	126
型紙の変形の仕方	131
縫い目穴の調整	133

cutting pattern
作り方→P65

ファスナーつきペンケース

ファスナーをつけて2つ折りして縫うという、シンプルな工程で作れます。

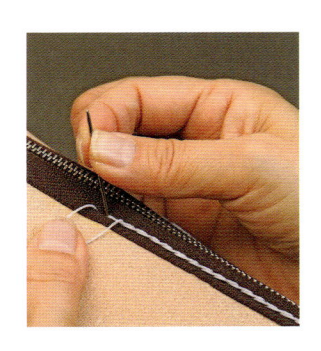

ファスナーをつける

ファスナーは、接着剤で革に貼ってから縫います。
ファスナーの布側から針を刺すときには、
縫い目穴がわからないので、目打ちや針で
革の側から縫い目穴をファスナー布に刺し
穴位置を確認しながら縫い進みます。

【平らなものにつける】

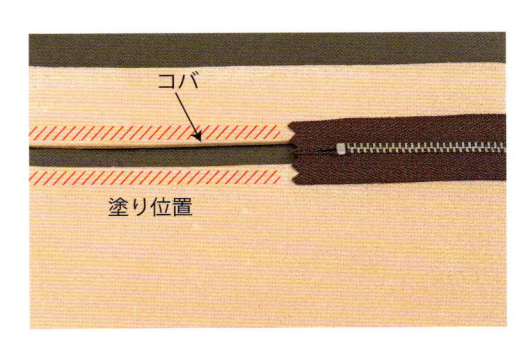

（図中ラベル：コバ／塗り位置）

1 ファスナーを貼り位置に当て、
ファスナーの布幅の少し内側に接着剤を塗る。
貼り位置の革のコバから接着剤が
はみ出ないように塗る

2 ファスナーを平らに置き革を被せる

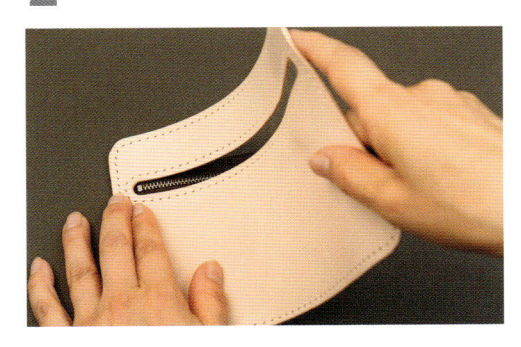

3 端は布を折り返して接着剤で貼ってから縫う

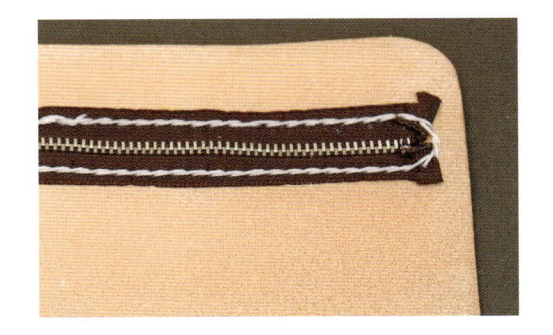

【革を畳んで貼る】

1 片側にファスナーを貼り、定規で反対側に
印をつける。片側から先に縫う

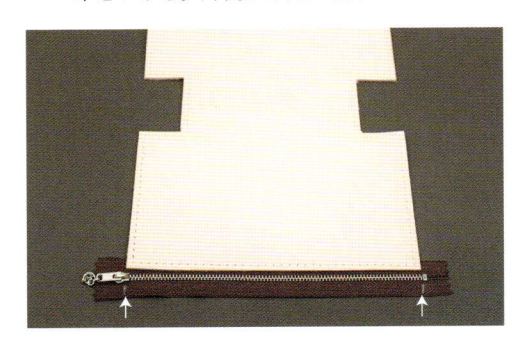

2 反対側は、ファスナーを閉じた状態で
印を合わせながら貼り、ファスナーを開いて縫う

61

cutting pattern

三角ポーチ

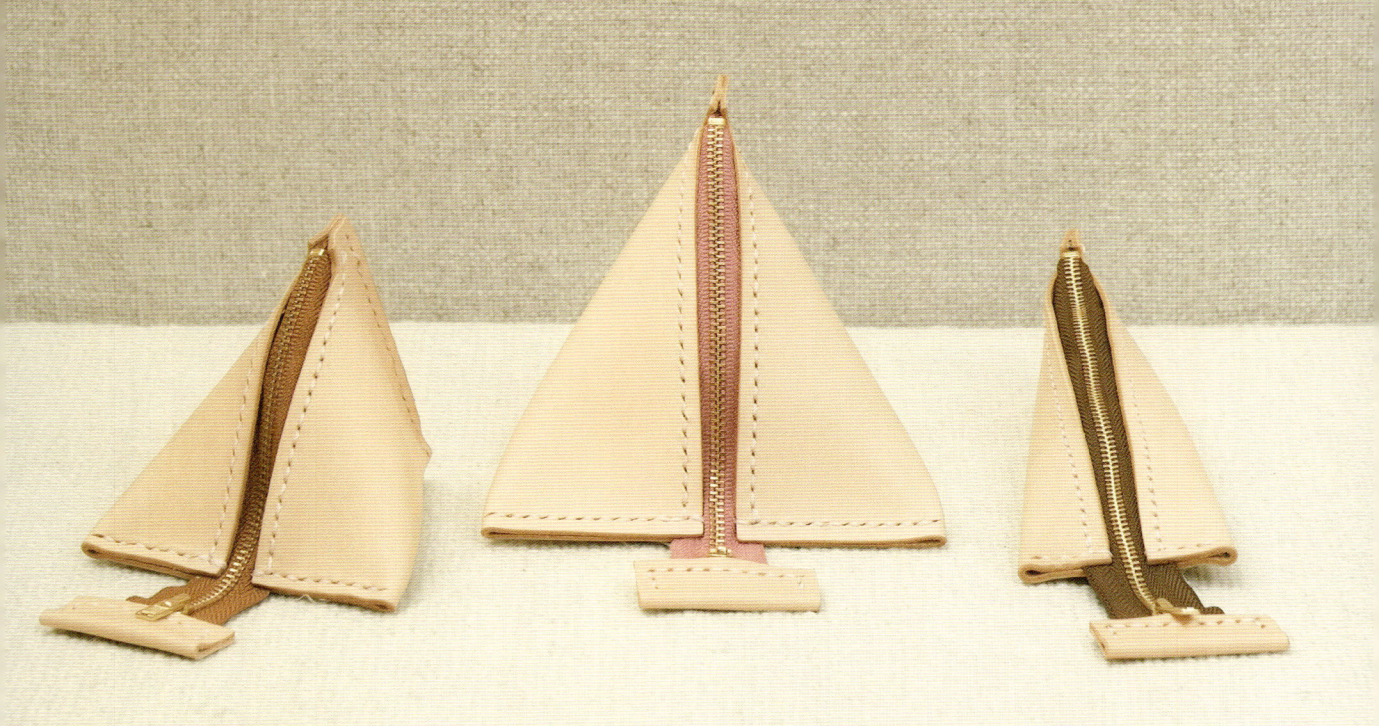

1枚革を側面をとめて筒形にし、上下をずらして畳むとこんな形になります。

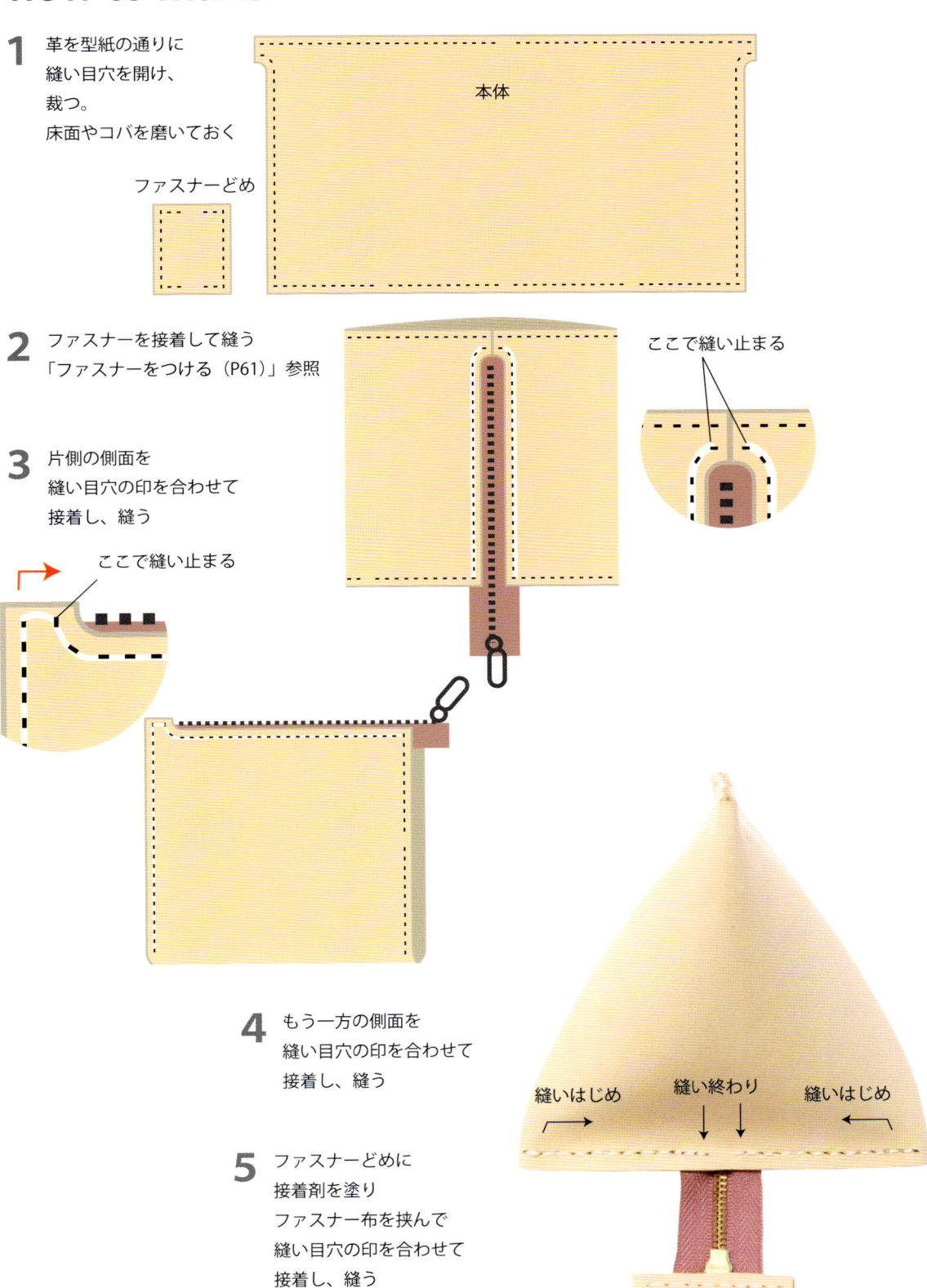

how to make

1 革を型紙の通りに縫い目穴を開け、裁つ。床面やコバを磨いておく

ファスナーどめ　本体

2 ファスナーを接着して縫う「ファスナーをつける（P61）」参照

ここで縫い止まる

3 片側の側面を縫い目穴の印を合わせて接着し、縫う

ここで縫い止まる

4 もう一方の側面を縫い目穴の印を合わせて接着し、縫う

縫いはじめ　縫い終わり　縫いはじめ

5 ファスナーどめに接着剤を塗りファスナー布を挟んで縫い目穴の印を合わせて接着し、縫う

63

cutting pattern

平たいケース

ヌメ革に、鮮やかな色のファスナーも似合います。

how to make

平たいケース

1 革を型紙の通りに縫い目穴を開け、裁つ。床面やコバを磨いておく

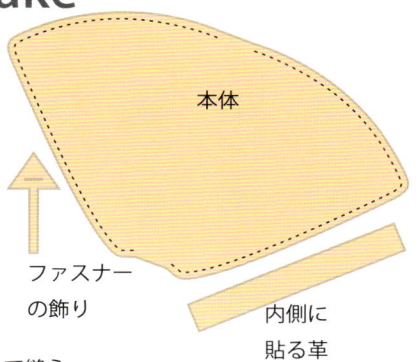

本体
ファスナーの飾り
内側に貼る革

2 ファスナーを接着して縫う
「ファスナーをつける（P61）」参照
片側の縫い代に接着剤を付け、角の部分はファスナー布を寄せながら貼り進め、縫う

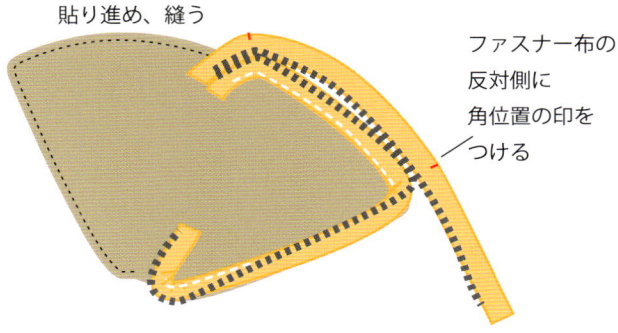

ファスナー布の反対側に角位置の印をつける

3 もう一方は印を角に合わせて接着し、縫う

ファスナー布を内側に曲げ、内側に貼る革を接着する

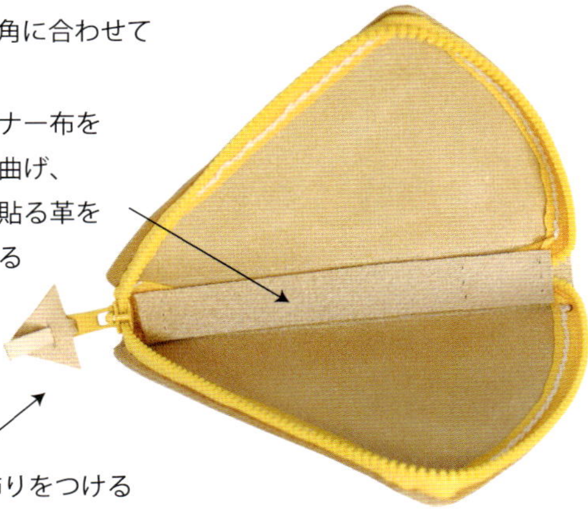

4 ファスナーの飾りをつける

how to make

ファスナーつきペンケース P60

1 型紙の通りに縫い目穴を開け、革を裁つ。床面やコバを磨いておく

2 ファスナーを接着して縫う
「ファスナーをつける（P61）」参照

3 縫い目穴の印を合わせて接着し、縫う

ここで縫い止まる

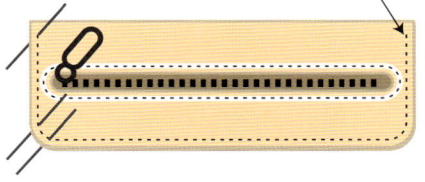

縫い止まり

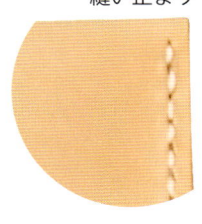

65

作り方→P68

ちいさな革で作れるもの

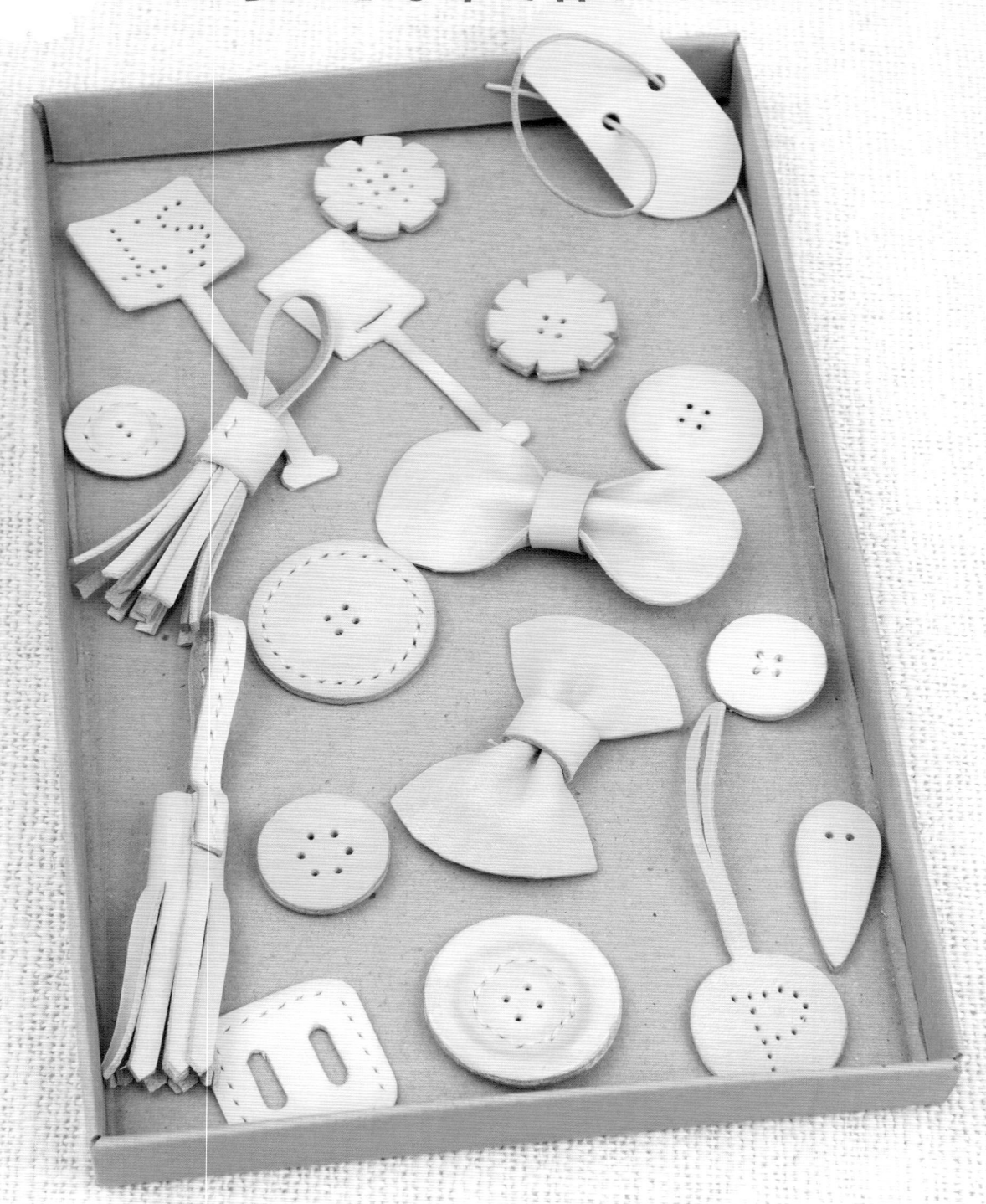

革紐やボタン、タグ。切り残した小さな革も捨てないでください。
いろいろ役に立ちます。

how to use

how to make

ちいさな革で作れるもの

革でバッグを作ると小さな端革が沢山出ます。なるべく無駄なく使いましょう。小さな革や細長い茧は伸びやすく、カットしにくいです。細い紐は、やや大きめの革の端を切って作りましょう。
型紙は、黒線で表示してあります 160% に拡大すると P66 の写真と同じ大きさになります。
ただし、それぞれ決まったサイズのないものですから、お好みの形にしてください。

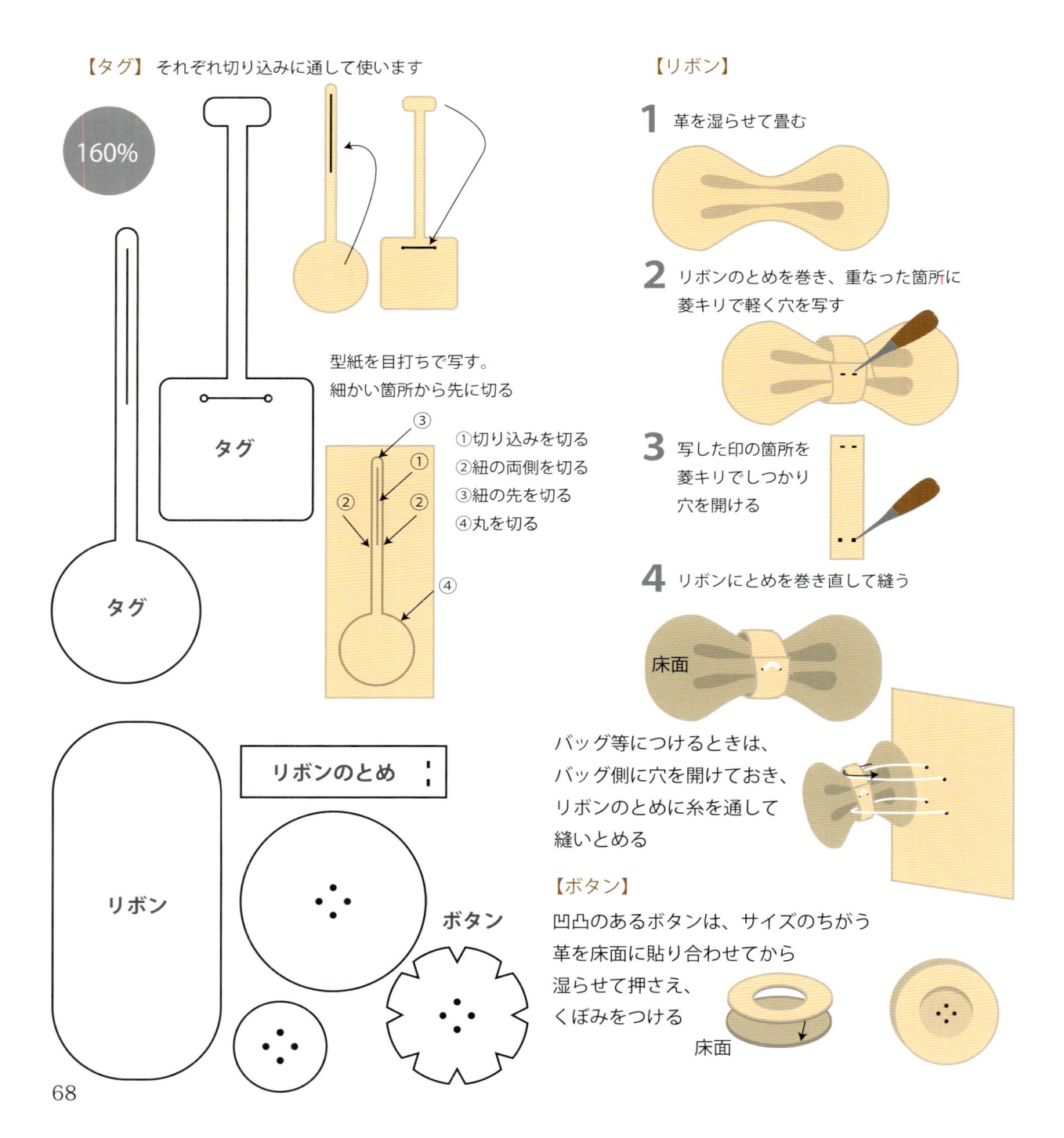

【タグ】それぞれ切り込みに通して使います

160%

型紙を目打ちで写す。
細かい箇所から先に切る

① 切り込みを切る
② 紐の両側を切る
③ 紐の先を切る
④ 丸を切る

タグ

リボンのとめ

リボン

ボタン

【リボン】

1 革を湿らせて畳む

2 リボンのとめを巻き、重なった箇所に菱キリで軽く穴を写す

3 写した印の箇所を菱キリでしっかり穴を開ける

4 リボンにとめを巻き直して縫う

床面

バッグ等につけるときは、バッグ側に穴を開けておき、リボンのとめに糸を通して縫いとめる

【ボタン】
凹凸のあるボタンは、サイズのちがう革を床面に貼り合わせてから湿らせて押さえ、くぼみをつける

床面

【タッセル A】

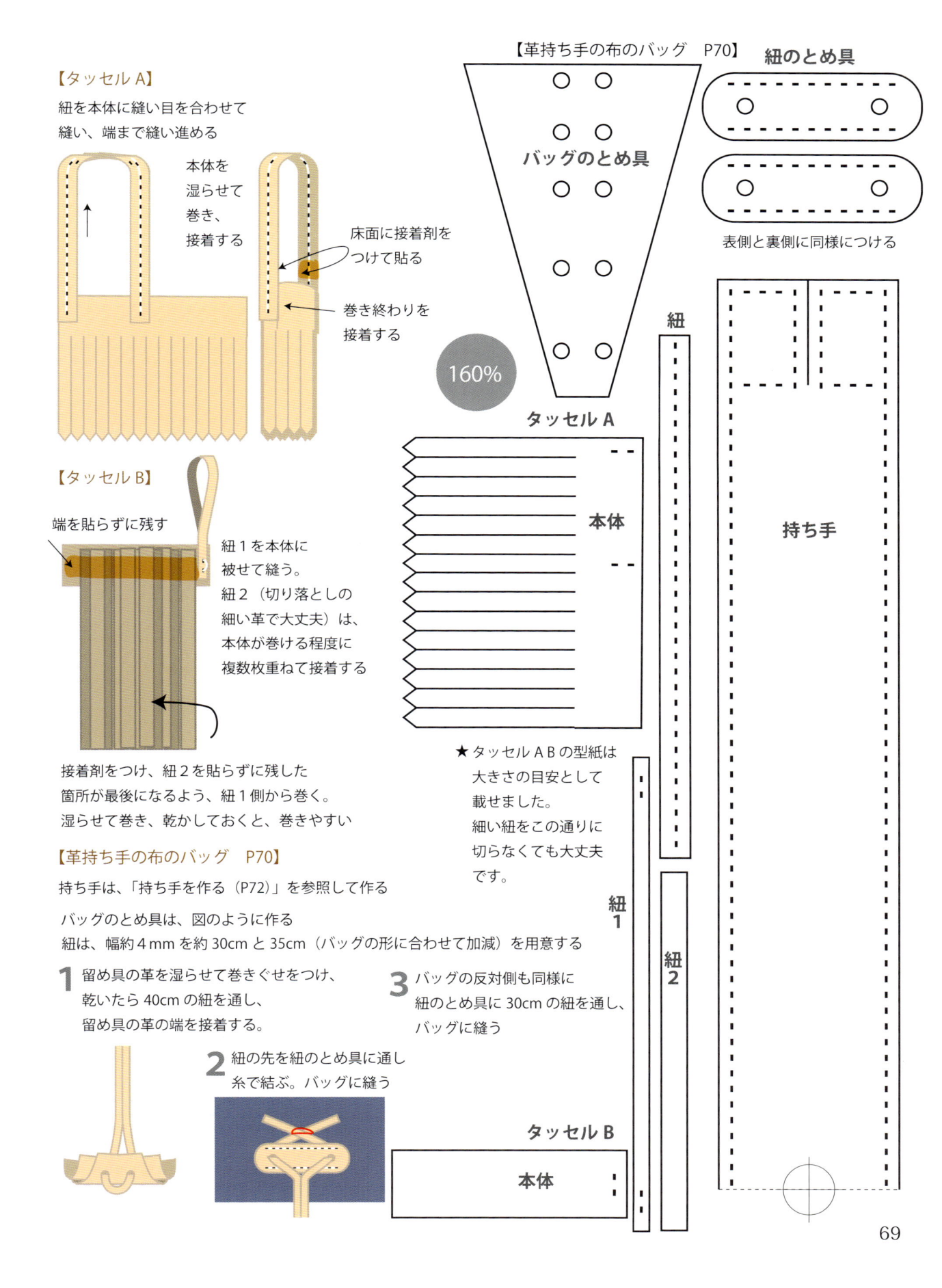

紐を本体に縫い目を合わせて縫い、端まで縫い進める

本体を湿らせて巻き、接着する

床面に接着剤をつけて貼る

巻き終わりを接着する

【タッセル B】

端を貼らずに残す

紐1を本体に被せて縫う。紐2（切り落としの細い革で大丈夫）は、本体が巻ける程度に複数枚重ねて接着する

接着剤をつけ、紐2を貼らずに残した箇所が最後になるよう、紐1側から巻く。湿らせて巻き、乾かしておくと、巻きやすい

【革持ち手の布のバッグ　P70】

持ち手は、「持ち手を作る（P72）」を参照して作る

バッグのとめ具は、図のように作る

紐は、幅約4mmを約30cmと35cm（バッグの形に合わせて加減）を用意する

1 留め具の革を湿らせて巻きぐせをつけ、乾いたら40cmの紐を通し、留め具の革の端を接着する。

2 紐の先を紐のとめ具に通し糸で結ぶ。バッグに縫う

3 バッグの反対側も同様に紐のとめ具に30cmの紐を通し、バッグに縫う

【革持ち手の布のバッグ　P70】

バッグのとめ具

紐のとめ具

表側と裏側に同様につける

160%

タッセル A

本体

紐

持ち手

★タッセルＡＢの型紙は大きさの目安として載せました。細い紐をこの通りに切らなくても大丈夫です。

紐1

紐2

タッセル B

本体

cutting pattern

革持ち手の布のバッグ

手持ちの帆布等のトートバッグを革の持ち手に変えてみませんか。

持ち手の幅や長さには、腕を通して持つ、肩に掛ける等の用途や人それぞれの好みがあります。下記のように調節してください。

持ち手を変える

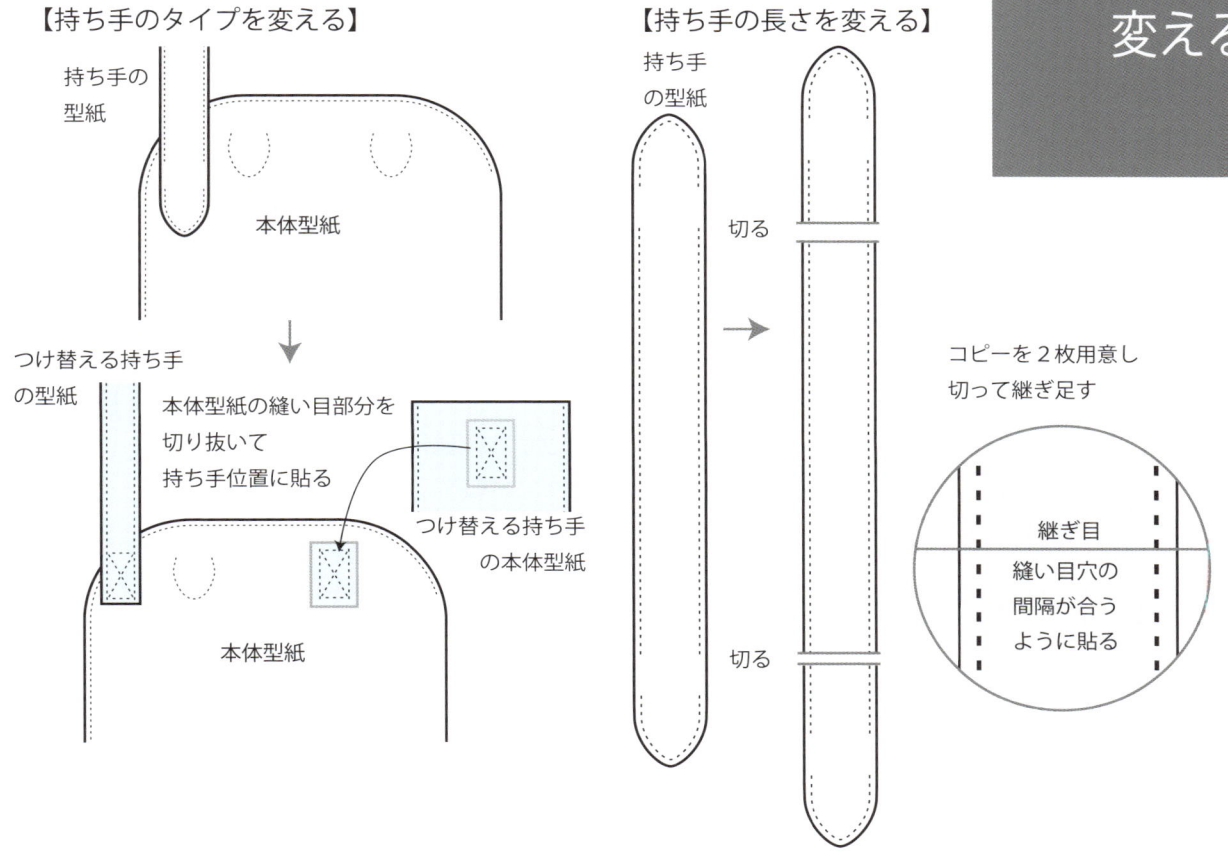

【持ち手のタイプを変える】

持ち手の型紙

本体型紙

↓

つけ替える持ち手の型紙

本体型紙の縫い目部分を切り抜いて持ち手位置に貼る

つけ替える持ち手の本体型紙

本体型紙

【持ち手の長さを変える】

持ち手の型紙

切る

切る

→

コピーを2枚用意し切って継ぎ足す

継ぎ目
縫い目穴の間隔が合うように貼る

detail

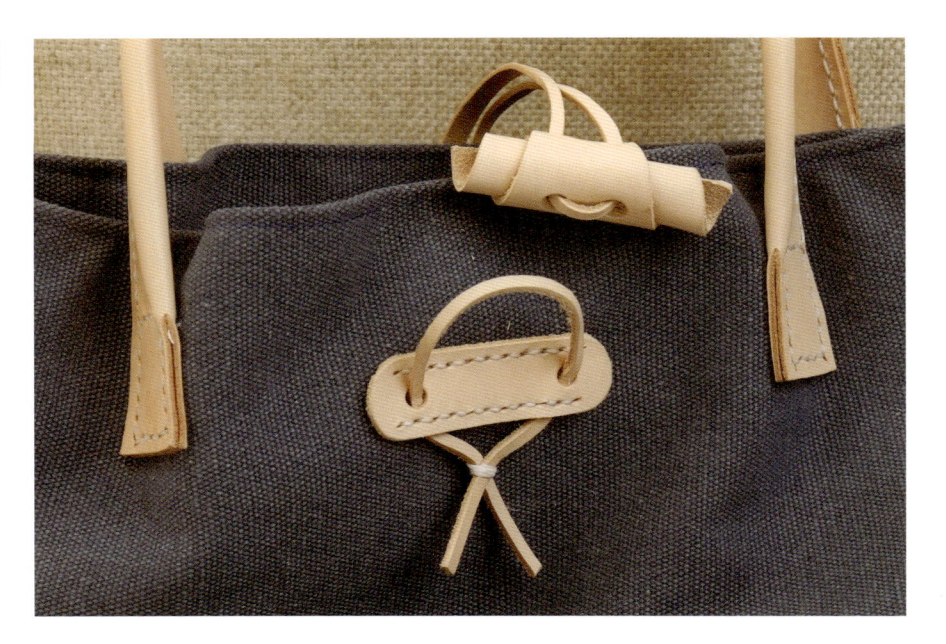

持ち手を作る

本書では、構造の違う3タイプの持ち手を使っています。
それぞれ、本体に縫いつける箇所以外を縫い
コバを磨いておきます。

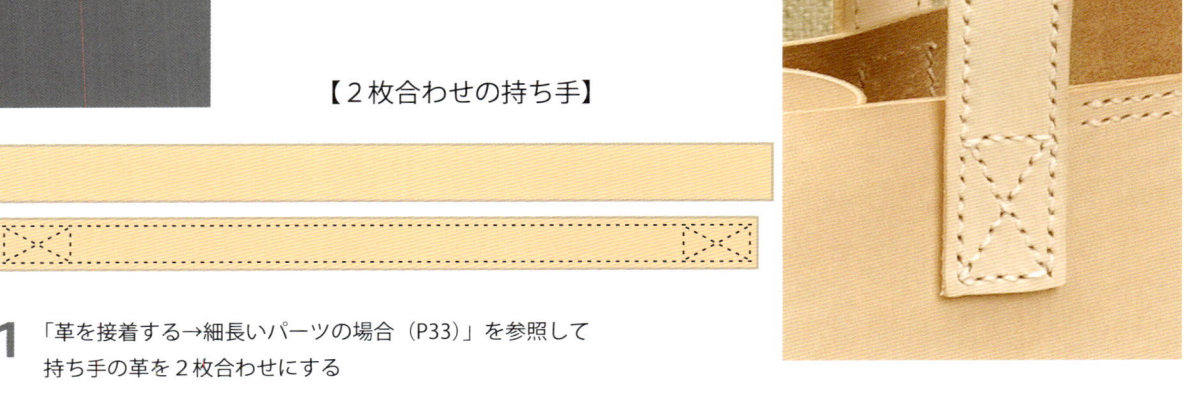

【2枚合わせの持ち手】

1 「革を接着する→細長いパーツの場合（P33）」を参照して
持ち手の革を2枚合わせにする

2 本体をつける箇所を残して縫う

本体につける　　　　　　　　　　　　　　　　　本体につける

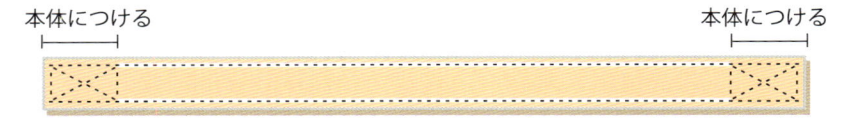

【折り畳む持ち手】

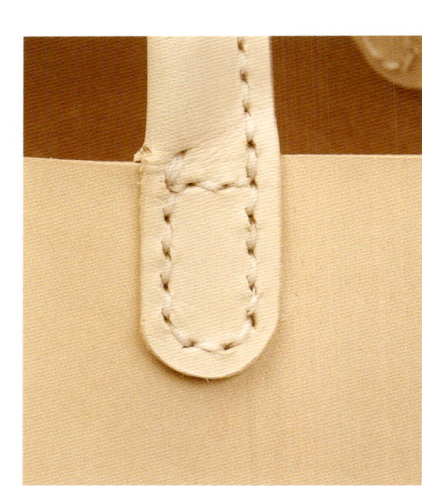

1 革を型紙の通りに縫い目穴を開け、裁つ

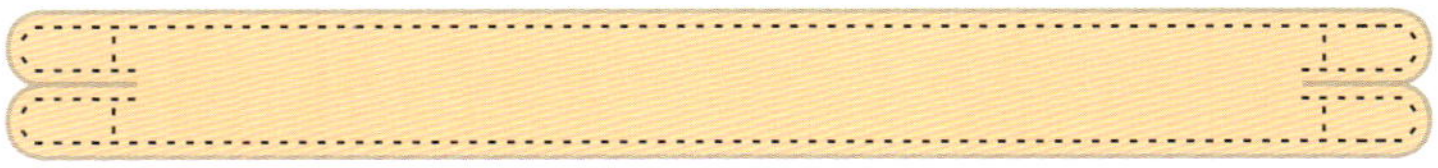

2 縫い目を合わせて半分に畳み接着する。
紙を挟み、目打ちか針で縫い穴を数目おきに刺し
縫い目穴を合わせて貼り進める

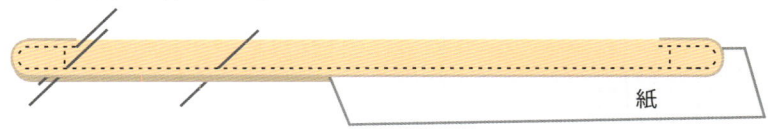

紙

写真のように本体の革を挟んでつける場合は、両端は接着しない

3 本体をつける箇所を残して縫う

本体につける　　　　　　　　　　　　　　　　　本体につける

本体の革を挟んでつける場合はここまで

72

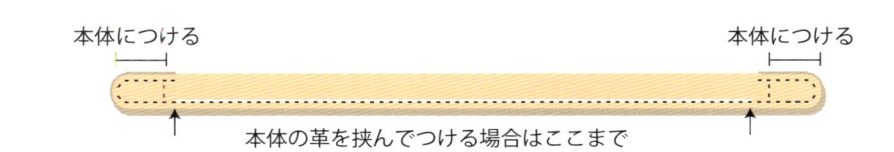

【芯を入れる持ち手】

1 革を型紙の通りに縫い目穴を開け、裁つ

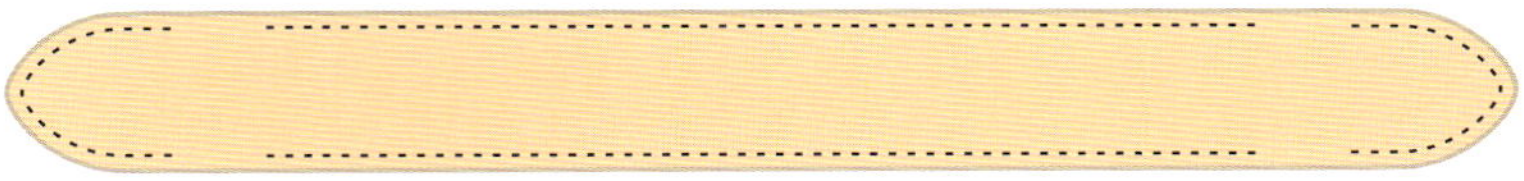

2 中央の縫い目の長さと同寸の紐を真ん中に接着する

床面　　　　　　　　　　　　　紐

持ち手の本体側に被せのパーツをつける場合もありますが、工程が複雑なので本書ではつけません。革が伸びないよう丈夫な部分を使って仕立ててください。

3 中央の縫い目を穴を合わせて半分に畳み接着する

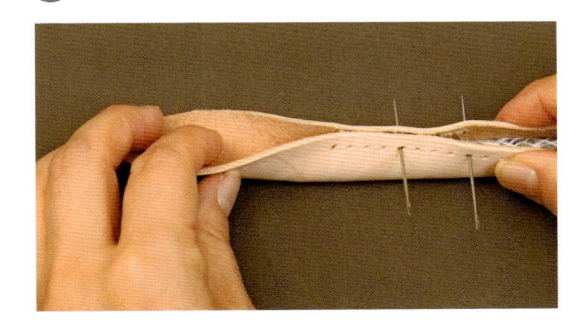

4 直線部分の縫い目を縫う

【本体につける】

コバを磨く。本体の縫い目穴に合わせて接着し、縫う。持ち手の側面を縫った糸が長めに残っていたら、そのまま本体に縫い進める

上から被せる

平たい持ち手　両端が表に向くようにつける

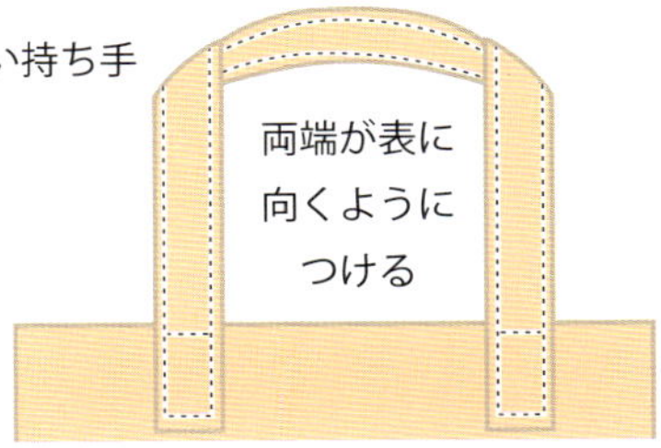

畳んだ持ち手　縫い目を外側にしてつける

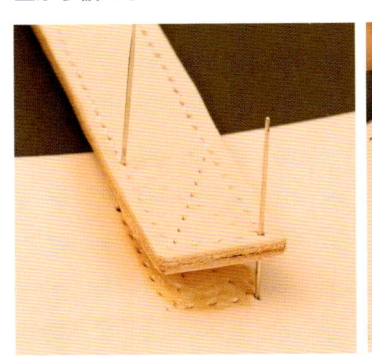

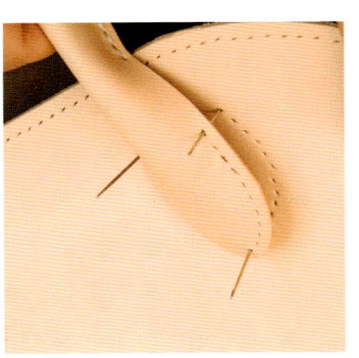

革を挟んでつける

cutting pattern

3枚はぎの縦長バッグ

ボトルが入る縦長バッグです。持ち手は、本体を縫製した後でつけます。

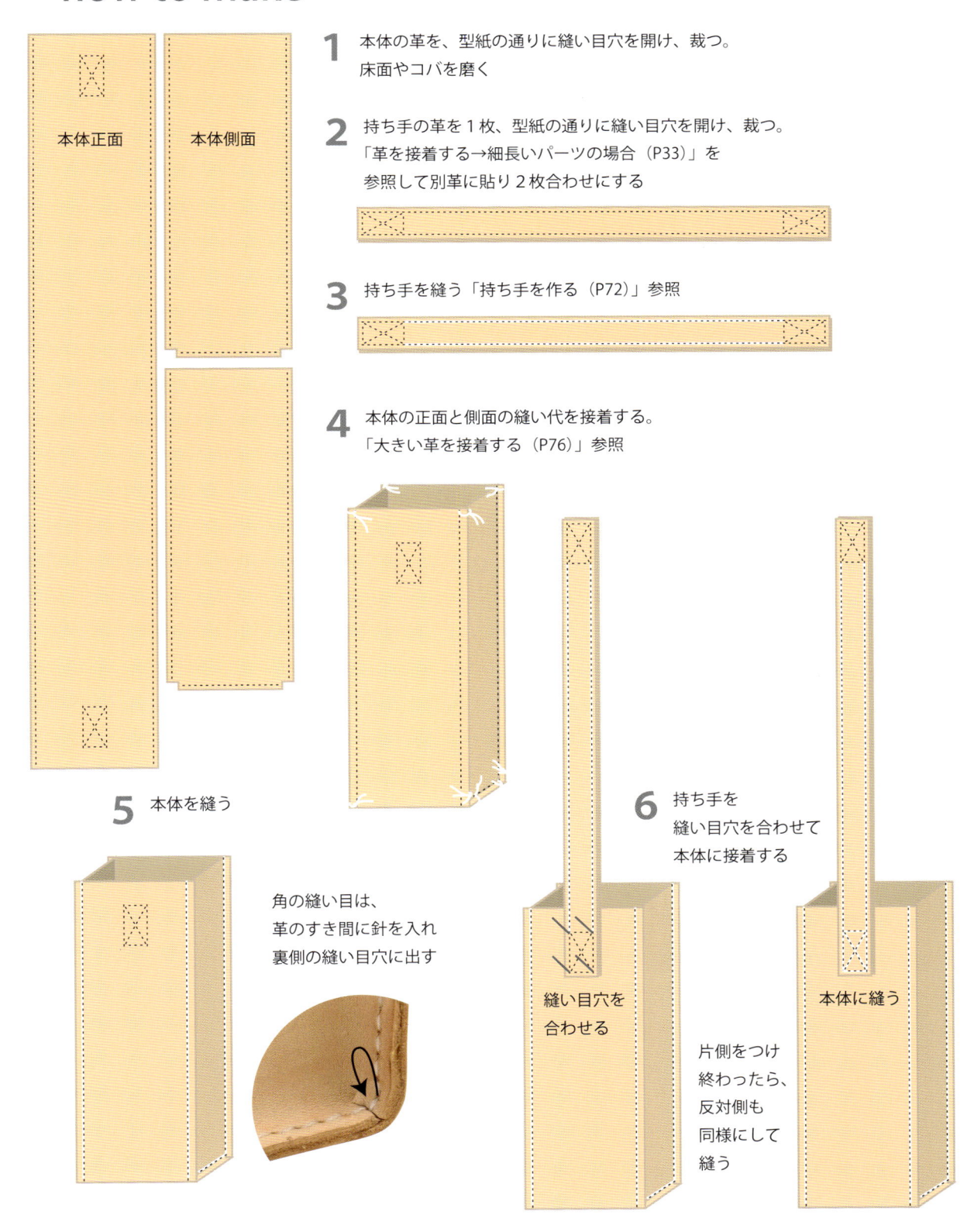

how to make

1 本体の革を、型紙の通りに縫い目穴を開け、裁つ。
床面やコバを磨く

2 持ち手の革を1枚、型紙の通りに縫い目穴を開け、裁つ。
「革を接着する→細長いパーツの場合（P33）」を
参照して別革に貼り2枚合わせにする

3 持ち手を縫う「持ち手を作る（P72）」参照

4 本体の正面と側面の縫い代を接着する。
「大きい革を接着する（P76）」参照

本体正面　本体側面

5 本体を縫う

角の縫い目は、
革のすき間に針を入れ
裏側の縫い目穴に出す

6 持ち手を
縫い目穴を合わせて
本体に接着する

縫い目穴を
合わせる

本体に縫う

片側をつけ
終わったら、
反対側も
同様にして
縫う

75

大きい革を接着する

バッグの本体は大きいので、貼り合わせのときに縫い目穴がずれやすいです。
ずれたまま接着してしまうと針が通りにくく、仕上がりの形もよくありません。
そのため、縫い目穴を合わるための一手間が必要になります。
★立体的に貼り合わせる箇所は、革を曲げてから貼ると仕上がりがきれいです。
★縫い目穴がずれやすいので
　糸で仮どめします。

【湿らせて曲げる】

1 革の銀面側から水を含ませて絞ったスポンジで、まず全体をふくようにして軽く湿らせ折り返したい箇所に再度スポンジで水分を含ませる

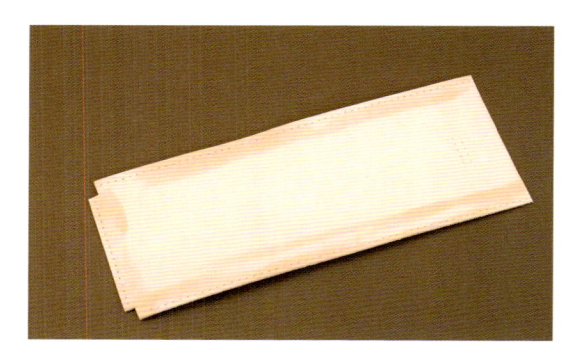

2 縫い目穴の少し内側で曲げる。革がゆがんだり伸びないように均等に曲げていく。スジがつくほど畳まない。しっかり乾かす

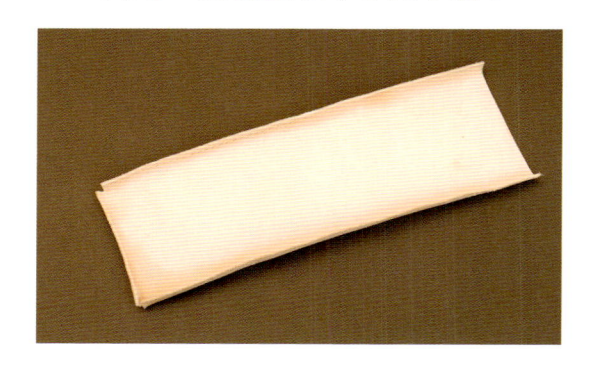

【縫い目を合わせて貼る】

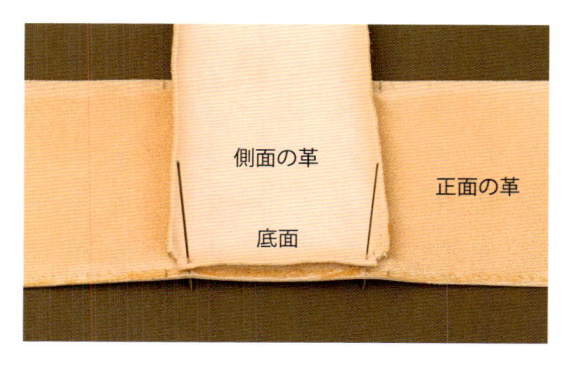

1 貼り合わせる際に縫い目の中央部分から貼ると縫い目穴が合わせやすい。
（この場合は、底面が中央）
中央を貼ったら、
側面の縫い代に接着剤を塗り、
べたつかないように乾かす。
印の縫い目を合わせる

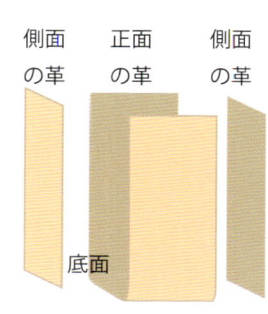

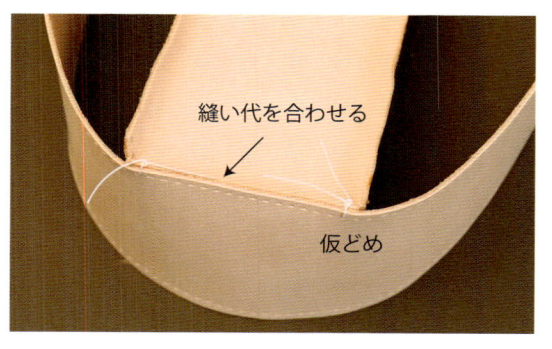

2 縫い代を合わせるように貼り密着させる。
貼り合わせたい箇所がずれてしまわないように、
印の穴に糸を付けた針を刺し、側面で縛り仮どめする。
数目刺し進めると縫い上がりで糸が抜けないので
仮止めは一目のみすくう

目打ちで縫い穴を数目おきに刺し穴位置を合わせて
微調整しておくと縫いやすい

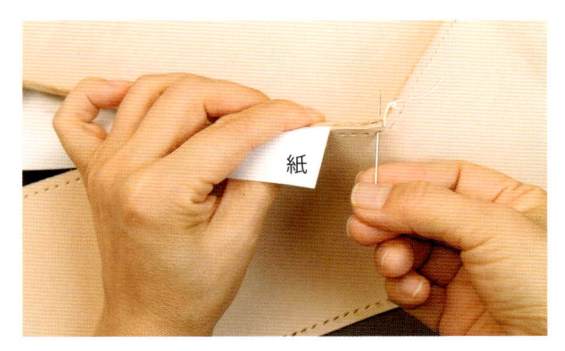

3 角を接着する。
他の場所が接着しないように
紙を挟みながら、
印の縫い目を合わせて貼る

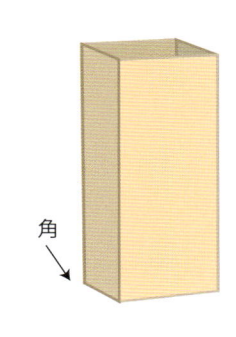

角

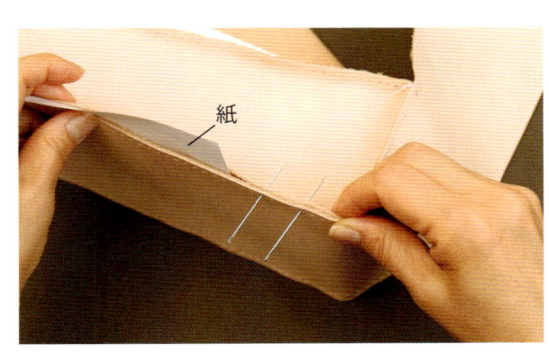

4 側面を接着する。
挟んだ紙をずらしながら、
数目おきに縫い目穴を合わせて
貼り進める

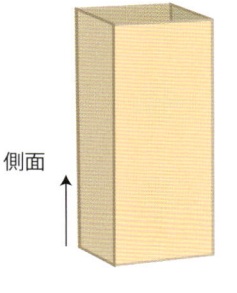

側面

5 縫い目穴がずれてしまわないように、要所は糸で仮止めしながら
両面を貼り合わせる。
目打ちで縫い穴を数目おきに刺し、穴位置を合わせて微調整しておく

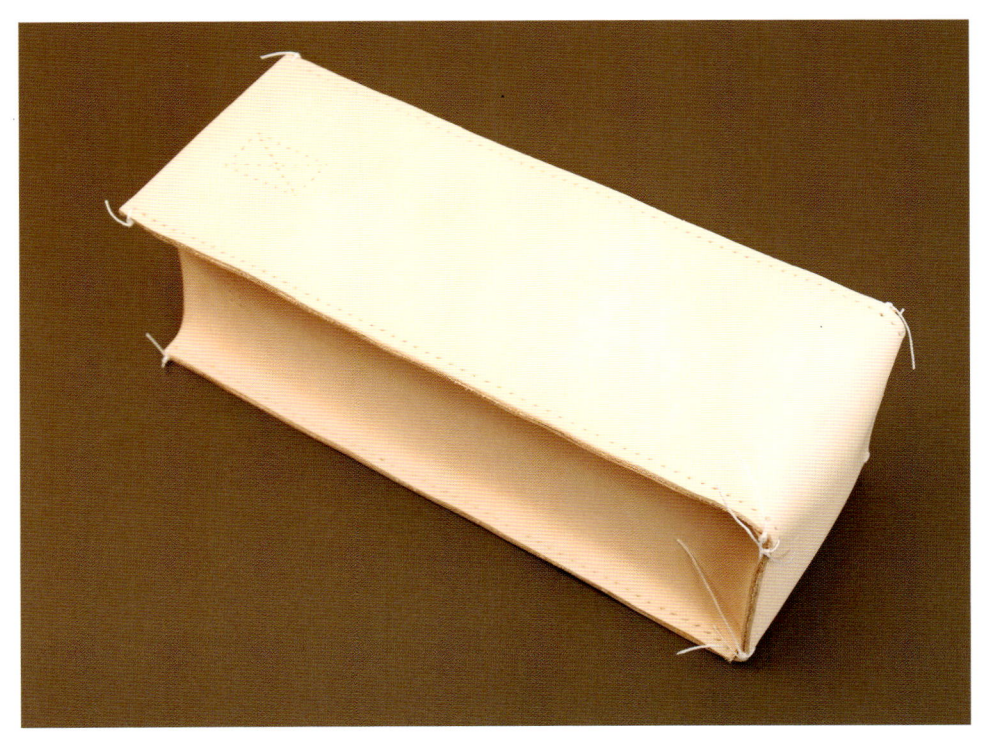

77

cutting pattern

3枚はぎのトートバッグ

3枚はぎの縦長バッグ(P74)と同じ構造のサイズ違いです。
内ポケットがついています。

how to make

1 本体とポケットの革を、型紙の通りに縫い目穴を開け、裁つ。床面やコバを磨いておく

2 持ち手の革を2枚、型紙の通りに縫い目穴を開け、裁つ。「革を接着する→細長いパーツの場合（P33）」を参照して別革に貼り2枚合わせにする

3 持ち手を縫う「持ち手を作る（P72）」参照

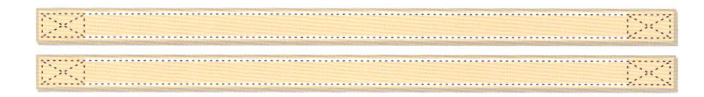

4 ポケットを本体正面に印を合わせて接着し、縫う

床面
ポケット
印を合わせて畳んで縫う

本体正面の床面側につける
ポケット　本体正面
縫う

5 持ち手を本体正面に印を合わせて接着し、縫う

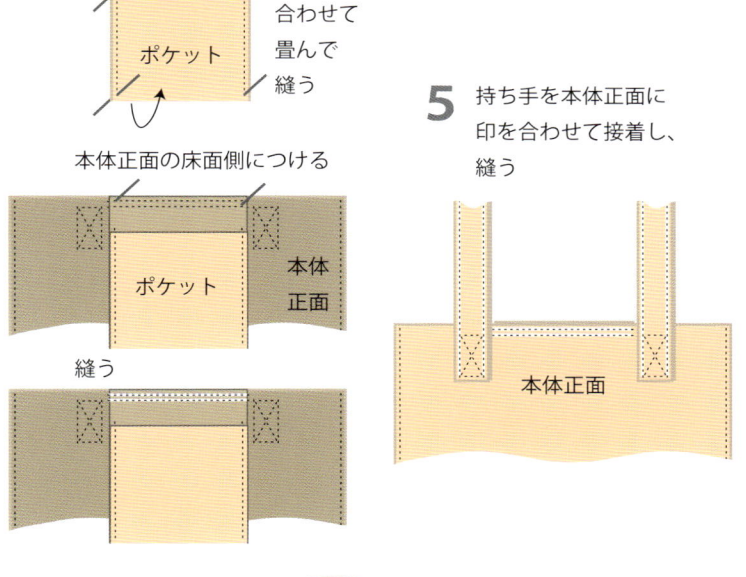

本体正面

6 本体の正面と側面の縫い代を接着する。「大きい革を接着する（P76）」参照

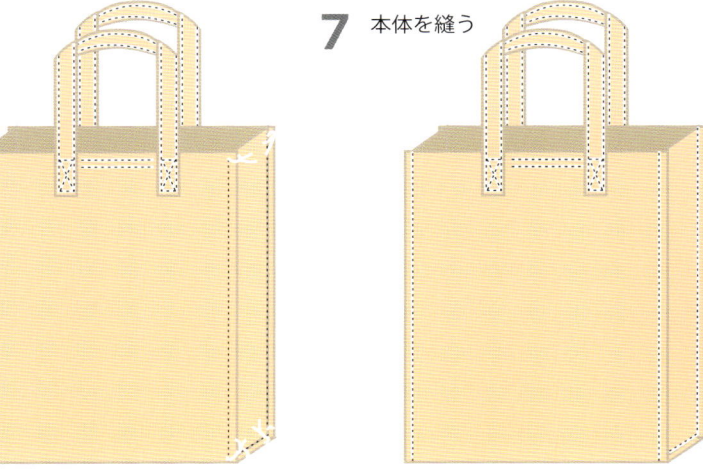

7 本体を縫う

角の縫い目は、革のすき間に針を入れ裏側の縫い目穴に出す

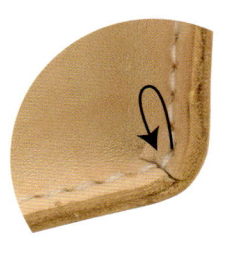

cutting pattern

1枚革の
ファスナーつきポーチ

本体は1枚革を底で畳んでマチにしてあります。

how to make

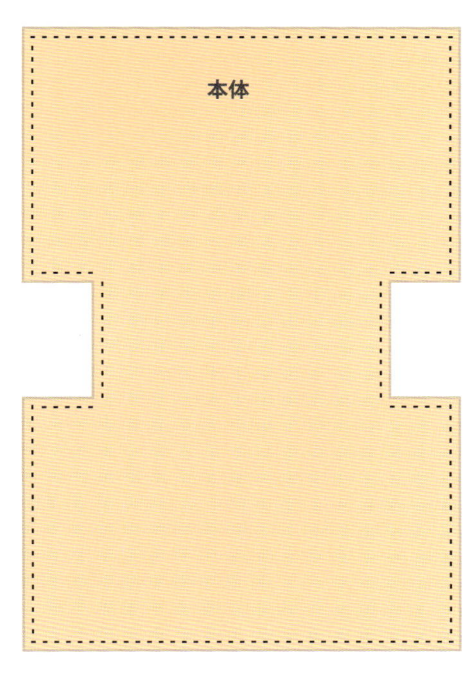

本体

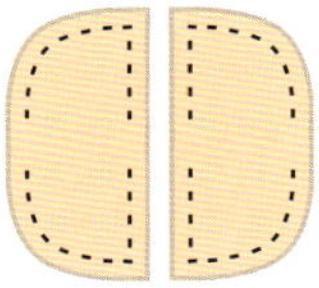

ファスナーどめ

1. 本体とファスナーどめの革を、型紙の通りに縫い目穴を開け、裁つ。本体の床面とそれぞれのコバを磨いておく

2. 本体の入れ口にファスナーをつける。「ファスナーをつける（P61）」参照

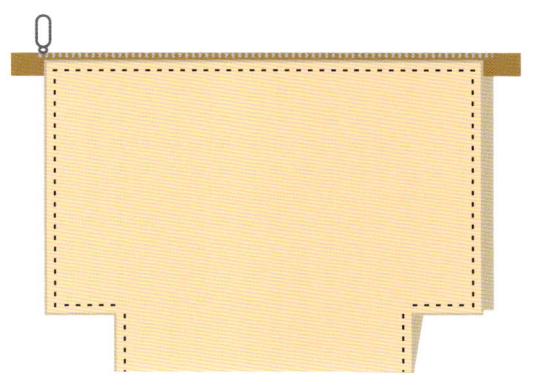

3. 本体の縫い代を印を合わせて接着し、縫う。「1枚革のバッグを作る（P82）」参照

4. ファスナーどめの革に接着剤を塗る。ファスナーの両端に被せ印を合わせて接着し、縫う

detail

1枚革のバッグを作る

1枚革のファスナーつきポーチ P80
1枚革のトートバッグ P84
1枚革のショルダーバッグ P88
1枚革のファスナーつきバッグ P94
の本体の縫製の仕方です。

1枚革のバッグ本体

ここでは、ファスナーポーチを制作しているのでファスナーがついていますが、縫製の仕方は全てのバッグ共通です。

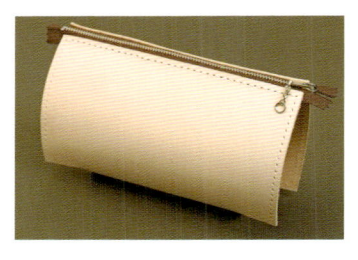

【側面を縫う】

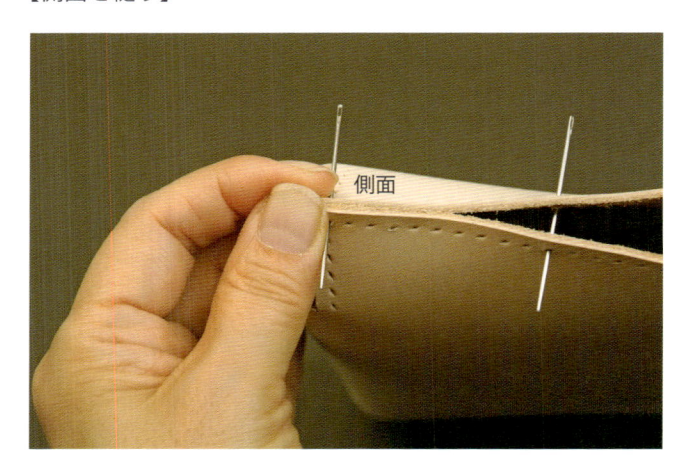

1 側面を印穴を合わせながら両側とも貼る。
大きなものは、糸で仮止めする。
目打ちで穴位置を合わせて微調整する

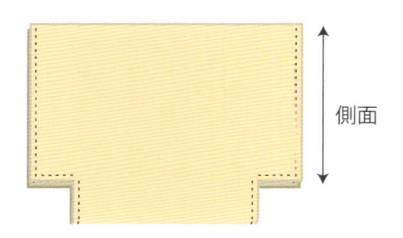

側面

2 側面を縫う。
ファスナーをつけない
トートバッグや
ショルダーの場合は、
入れ口の上で糸を被せて縫う

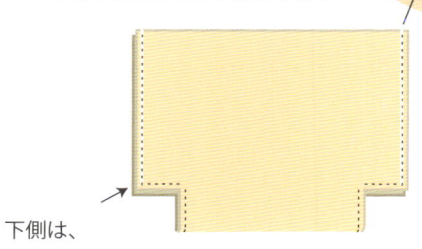

下側は、切り口に糸を被せて縫わない

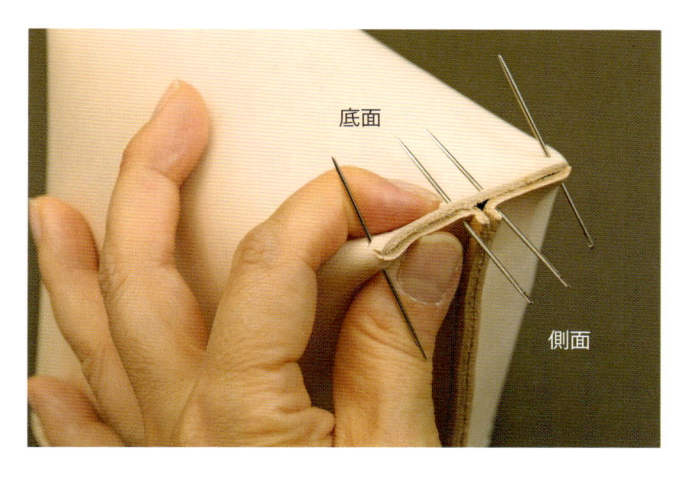

3 底面を畳むようにつまみ
印穴を針で合わせながら側面に貼る

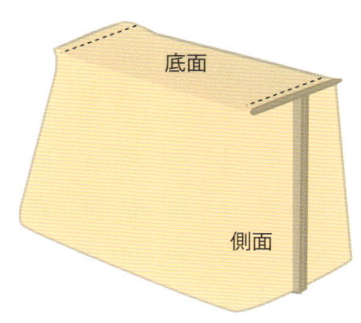

4 底面を縫う。1本の糸ですが、解りやすいよう糸の色を変えてあります。

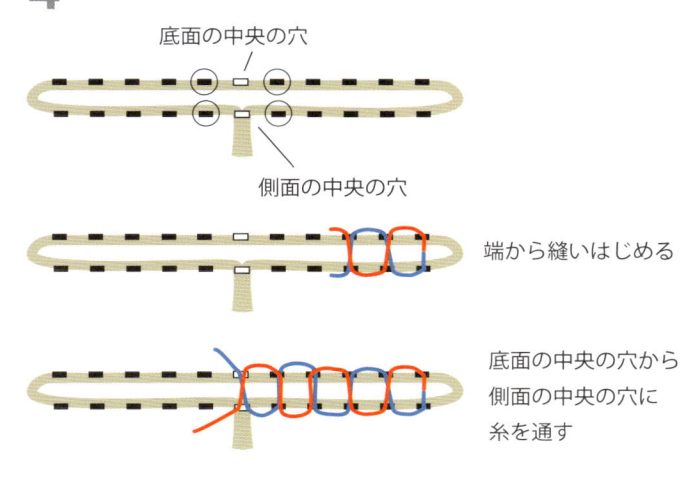

底面の中央の穴

側面の中央の穴

端から縫いはじめる

底面の中央の穴から
側面の中央の穴に
糸を通す

底面の縫い上がり

5 縫い終わりは内側で結ぶか、
底側に糸を出して始末する。

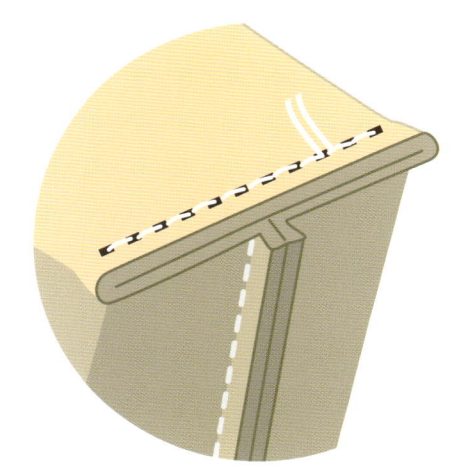

6 縫製した箇所を磨く
P43 参照

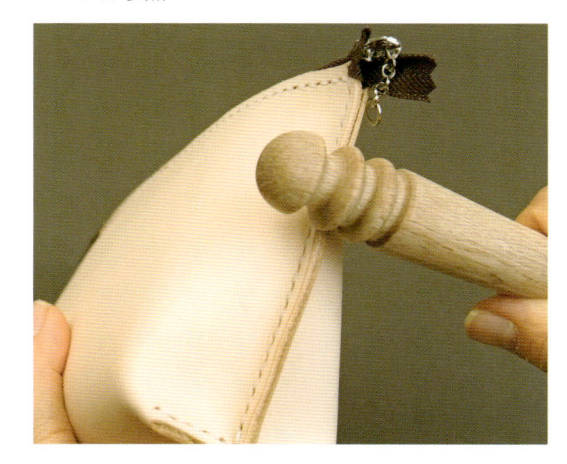

83

cutting pattern

作り方→P86

1枚革のトートバッグ

1枚革のファスナーつきポーチ（P80）と同じ構造のしっかりしたトートバッグです。

detail

how to make

1枚革のトートバッグ

1 本体・ポケット・留め具の革を、型紙の通りに縫い目穴を開け、裁つ。床面やコバを磨いておく

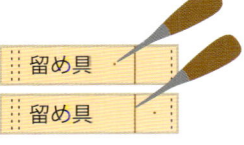

金具をつける箇所に目打ちで印を入れる

折り曲げる箇所に目打ちでスジを引いておく

2 持ち手の革を2枚、型紙の通りに縫い目穴を開け、裁つ。「革を接着する→細長いパーツの場合（P33）」を参照して別革に貼り2枚合わせにする

3 持ち手を縫う。「持ち手を作る（P72）」参照

8 底面を畳むようにつまみ印穴を針で合わせながら側面に貼り、縫う

4 本体にポケットを印を合わせて底側、側面の順に接着する。
縫い代に接着剤を塗り紙を挟んで縫い目穴を合わせながら接着する。
縫う

5 留め具の革に金具（マグネ）を銀面側を表にしてつける。
金具の足を銀面に押しつけ跡をつけ、カッターで切り込みを入れる。押さえの金属パーツをのせて、足を曲げ木槌等でたたいて平らにする

留め具の革を折り線に合わせて畳む。
縫い目穴に菱キリを刺し、反対側まで穴を通してから、縫う。

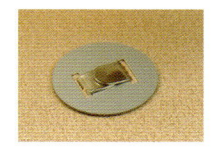

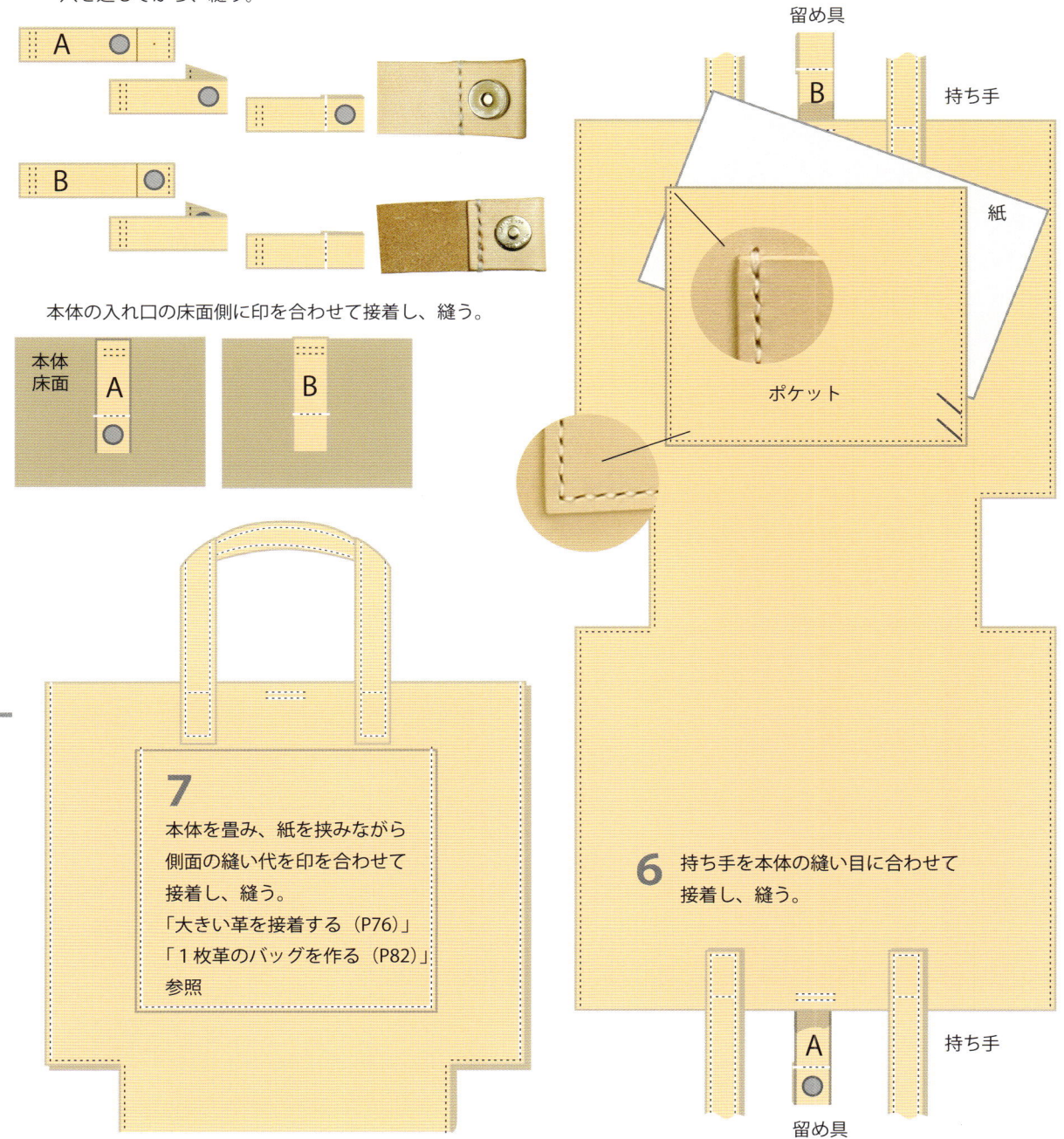

銀面　床面

本体の入れ口の床面側に印を合わせて接着し、縫う。

本体床面　A　B

留め具　持ち手　紙　ポケット

7 本体を畳み、紙を挟みながら側面の縫い代を印を合わせて接着し、縫う。
「大きい革を接着する（P76）」
「１枚革のバッグを作る（P82）」
参照

6 持ち手を本体の縫い目に合わせて接着し、縫う。

持ち手　留め具

cutting pattern

作り方→P92

1枚革のショルダーバッグ

1枚革の本体にフラップとストラップをつけたショルダーバッグ。

detail

ストラップを作る

バックル付きのストラップの作り方と本体への付け方です。
ストラップの長さには、個人差があります。手持ちのショルダーを参考に決めてください。ストラップやベルト用に細長く切られた革も販売されています。革を裁断して作る場合は伸びにくい箇所を使い、床面とコバを磨いておきます。
本書では、30mm幅の金具を使用し、30mm幅の革でストラップを作っています。

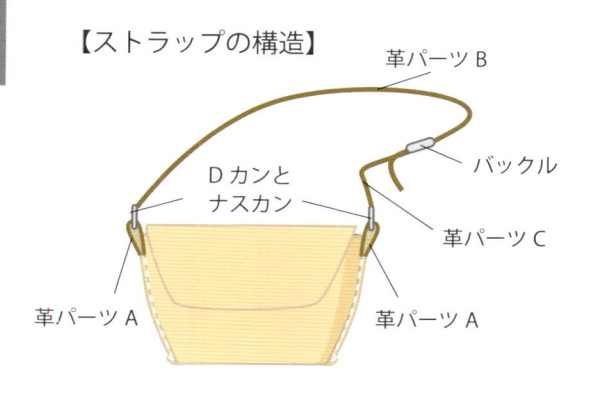

【ストラップの構造】

革パーツB
バックル
Dカンとナスカン
革パーツC
革パーツA
革パーツA

バックルが肩の上に来ないようにしてストラップの全長から1/3程度の箇所にバックル位置を決め各パーツの長さを加減します。

【金属パーツについて】

同じ表示幅のバックル、ナスカン、Dカンを使いますが、デザインにより多少の幅の大小があります。金具を購入したらサイズを確認し、ストラップ幅を調整してください。

バックル　　ナスカン　　Dカン

【Aのパーツを作る】　Dカンをつけてバッグ本体に縫いとめます

Dカンを中央に挟んで縫い目穴を合わせながら縫う

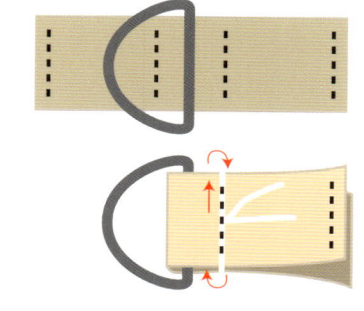

中央から針を入れ糸端を数cm残して並縫いで縫いはじめ、最後に中央で縫い終わるように縫い、糸の始末をする

【Bのパーツを作る】

片側にナスカンを付け、もう1方はバックル穴を開ける

1 先を切り、穴を開ける

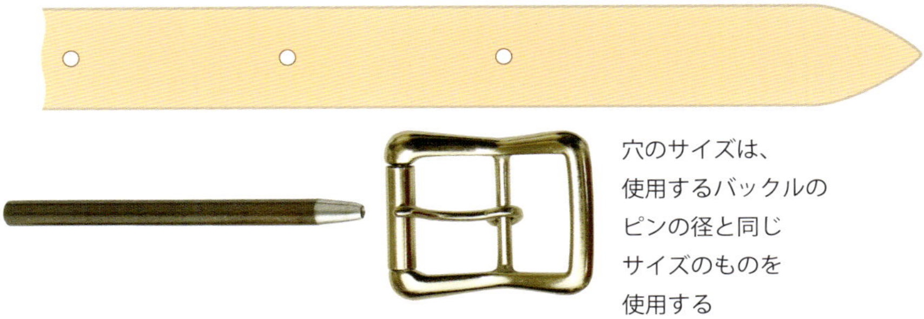

穴のサイズは、使用するバックルのピンの径と同じサイズのものを使用する

2 反対側にナスカンをつける。
Dカンと同様に挟んで縫う

【Cのパーツを作る】

端にバックルとナスカンをつける

1 図の位置にバックルのピンを通す穴をポンチで開ける

2 穴をつなぐようにカッターで切る

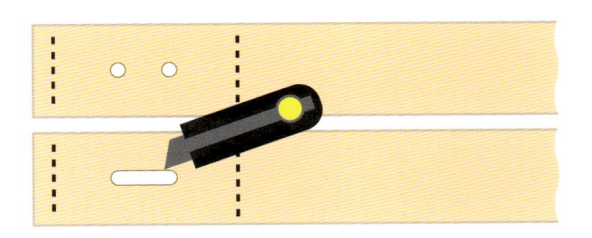

3 バックルの先を穴に通して折り返す。
バックルのデザインによって穴がきついものもあるので微調整する

4 Dカンと同様に縫う

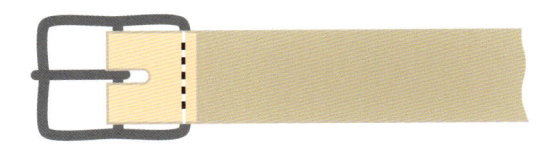

91

how to make

1枚革のショルダーバッグ

1 ストラップ以外のパーツは型紙の通りに縫い目穴を開け、革を裁つ。
ストラップは、「ストラップを作る（P90）」を参照して革を断ち、型紙の通りに縫い目穴を開け、床面やコバを磨いておく

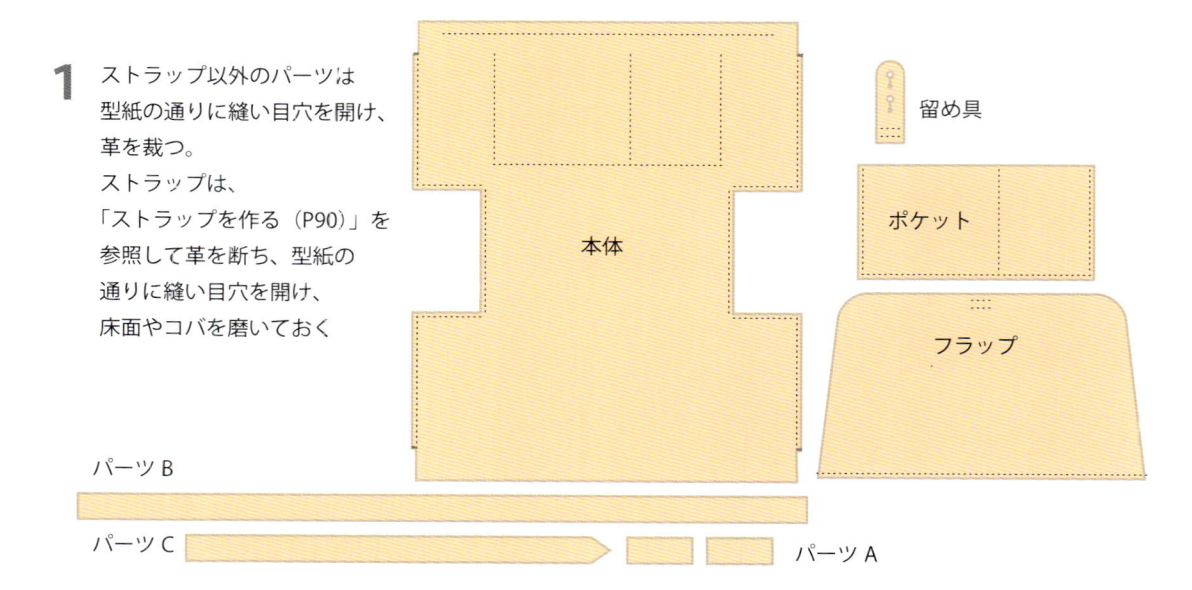

留め具

本体

ポケット

フラップ

パーツ B

パーツ C

パーツ A

2 フラップの床面に留め具の革を床面を上にして置き印を合わて接着し、縫う

床面

3 本体にフラップを印を合わて接着する。
目打ちで穴位置を数目おきに合わせて微調整し、縫う

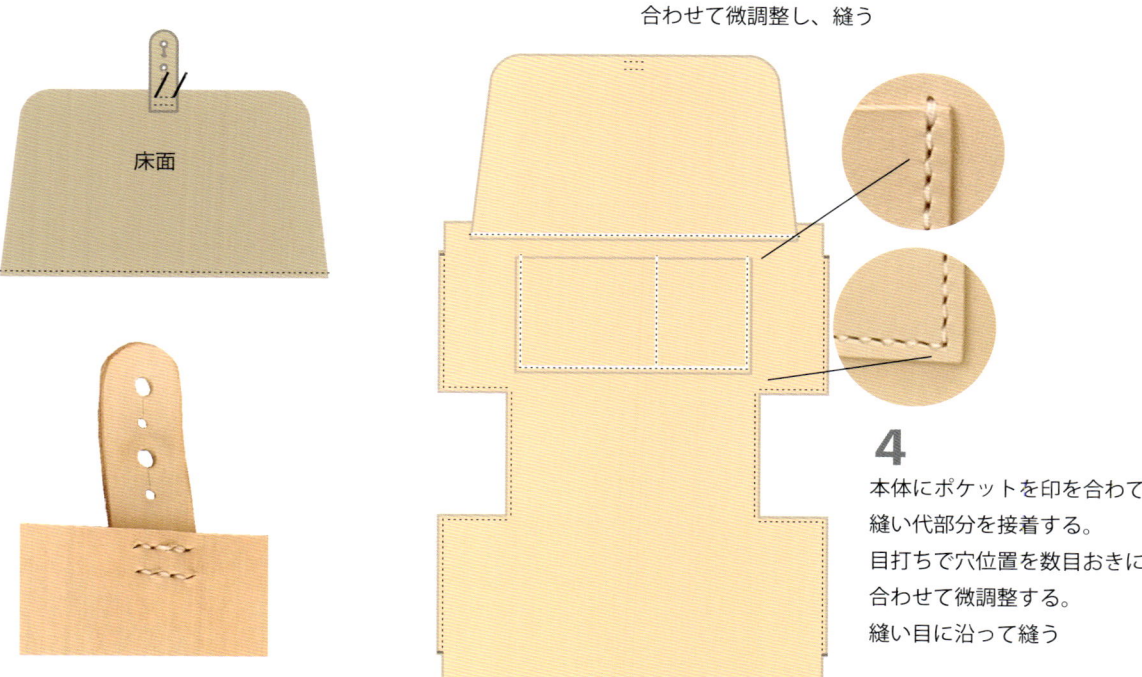

4 本体にポケットを印を合わて縫い代部分を接着する。
目打ちで穴位置を数目おきに合わせて微調整する。
縫い目に沿って縫う

5

本体を畳み、側面の縫い代を
印を合わせて接着し、縫う。
「1枚革のバッグを作る（P82）」参照

6

底面を畳むようにつまみ
印穴を針で合わせながら
側面に貼り、縫う

7

切り込みの箇所の
切り口を
合わせて縫う

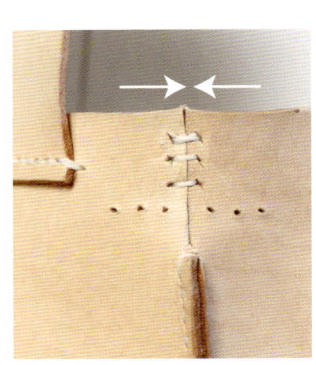

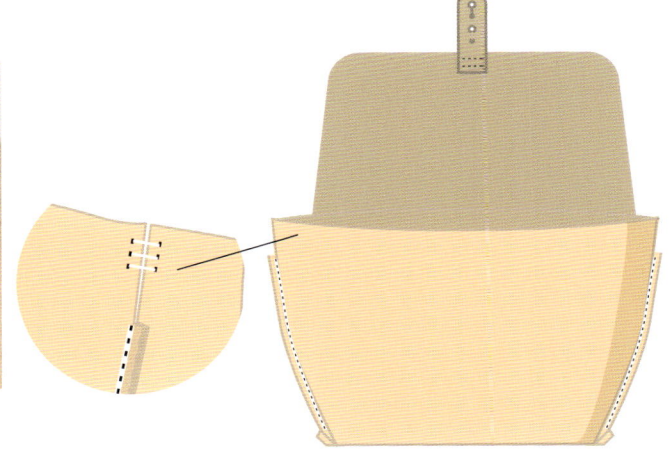

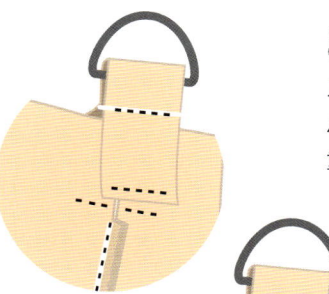

8

ストラップのパーツを作る。
パーツA（Dカンを通したパーツ）を
重ね、縫い目穴を合わせて接着し、縫う

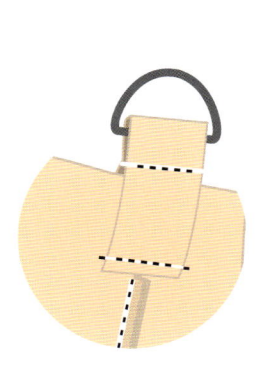

cutting pattern

1枚革のファスナーつきバッグ

本体は1枚革のバッグです。入れ口にファスナーをつけた革を縫ってあるので、マチの部分の革がおもしろい曲面になっています。

how to make

本体の制作の仕方は、1枚革のトートバッグ（P84）と同じです。

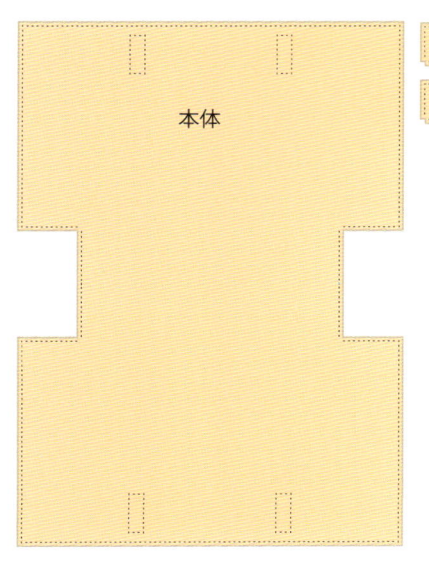

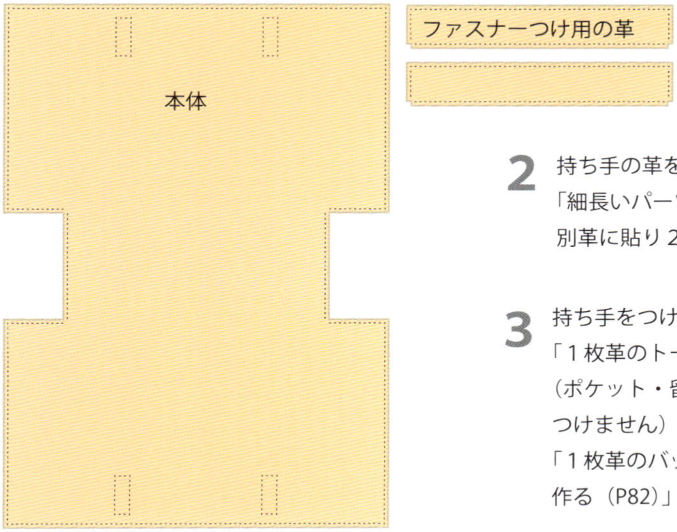

本体

ファスナーつけ用の革

1 本体とファスナーつけ用の革を、型紙の通りに縫い目穴を開け、裁つ。床面やコバを磨いておく

2 持ち手の革を2枚、型紙の通りに縫い目穴を開け、裁つ。「細長いパーツの場合（P33）」を参照し別革に貼り2枚合わせにする

3 持ち手をつけ、本体を縫う「1枚革のトートバッグ」（ポケット・留め具の革はつけません）「1枚革のバッグを作る（P82）」を参照

4 ファスナーつけ用の革にファスナーを接着し、縫う。「ファスナーを付ける（P61）」参照

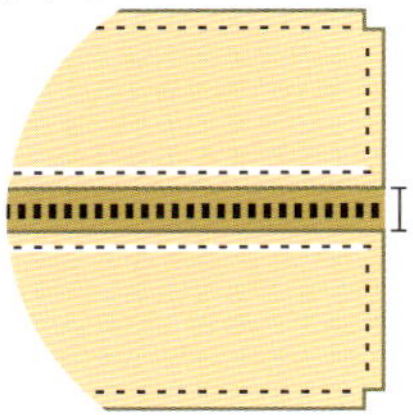

12mm 開ける

5 バッグの入れ口に縫い目穴の印を合わせて接着し、糸で仮止めしながら、目打ちで穴位置を数目おきに合わせて微調整する。「大きい革を接着する（P76）」参照

正面から接着する　側面を接着する

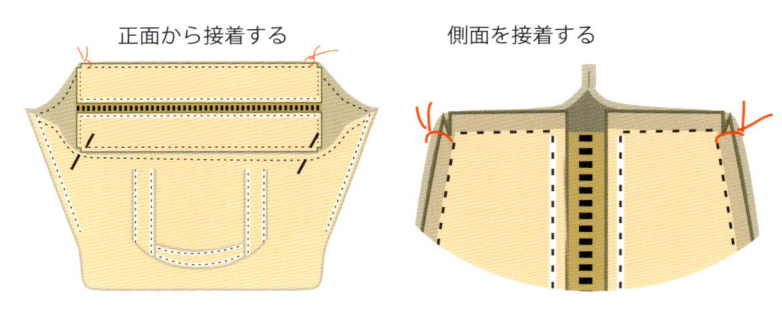

detail

6 縫う。印の縫い目穴どうしに針が入るようにする。

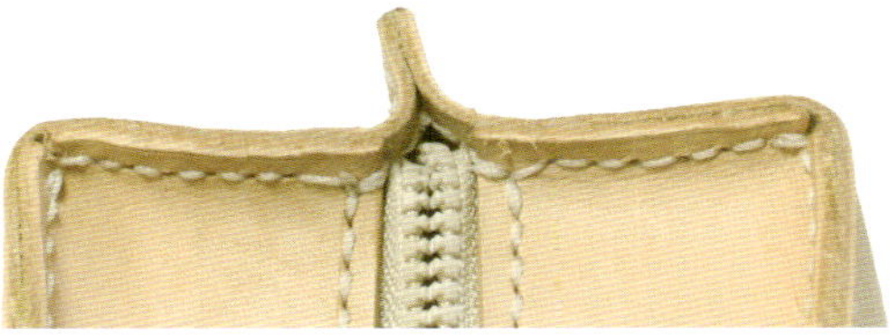

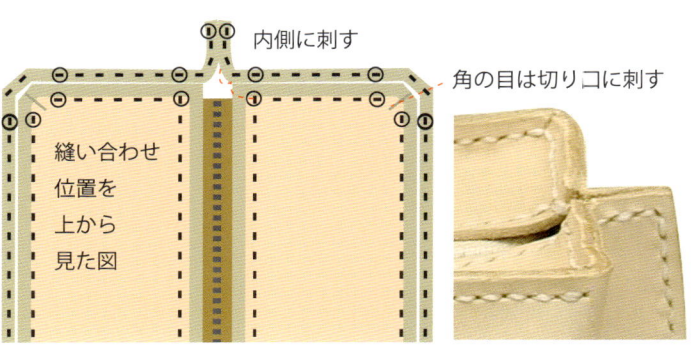

内側に刺す

角の目は切り口に刺す

縫い合わせ位置を上から見た図

95

cutting pattern

ダーツ入りバッグ

切り込みを縫い合わせたダーツを入れて、簡単な構造でも、キュートなバッグに。

how to make

1 革を型紙の通りに縫い目穴を開け、裁つ。
床面やコバを磨いておく

本体

補強革

持ち手

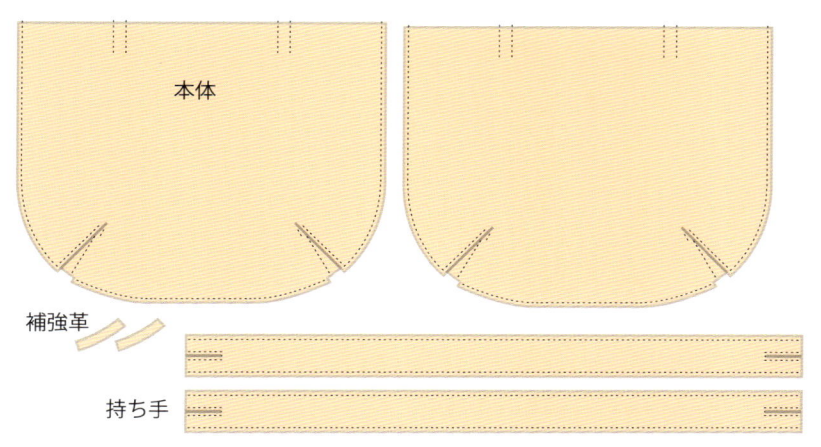

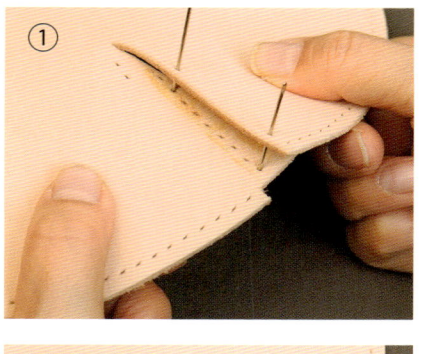

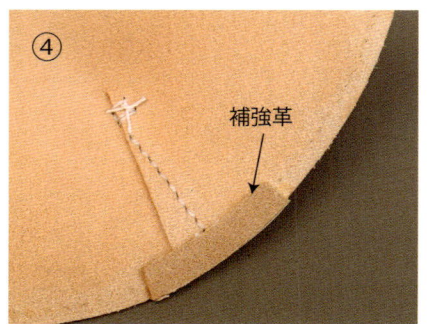

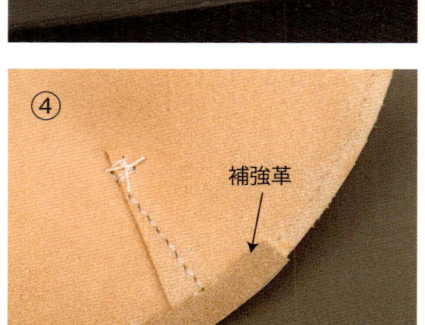

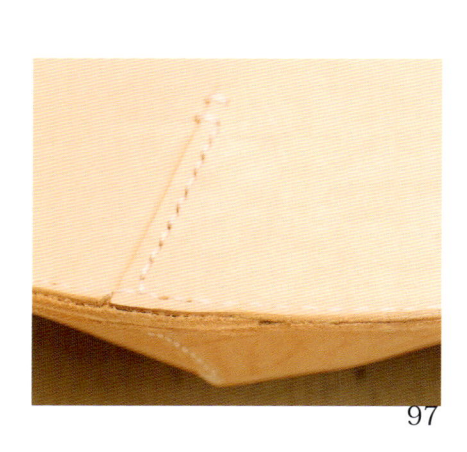

2 写真を参照し、① 縫い目穴を合わせてダーツを接着し、② 縫う。
③ ④ 補強革を床面に接着し、菱キリで表側から縫い目穴を裏まで通す

3 持ち手を畳み、本体つけ位置の手前まで縫う。「持ち手を作る（P72）」参照

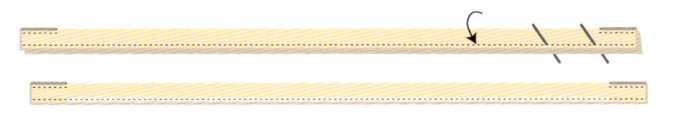

4 持ち手の先を開いて、持ち手の縫い合わせ側が外になるように本体を挟む。
縫い目を合わせ、本体に接着し、縫う

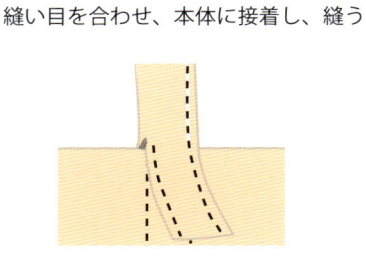

補強革

5 本体の底面の縫い代に接着剤を塗り
他の場所が接着しないように
紙を挟んで、2枚を床面を内側に
合わせる。縫い目穴を
合わせながら接着する
次に、側面を底面と同様に
それぞれ接着し、縫う

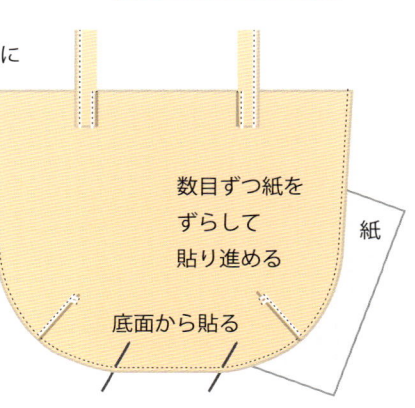

数目ずつ紙をずらして貼り進める

紙

底面から貼る

cutting pattern

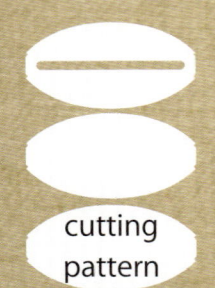

作り方→P100

ボール形バッグ

楕円形の型紙4枚をはぎ合わせたラグビーボール風。

detail

99

how to make

ボール形バッグ

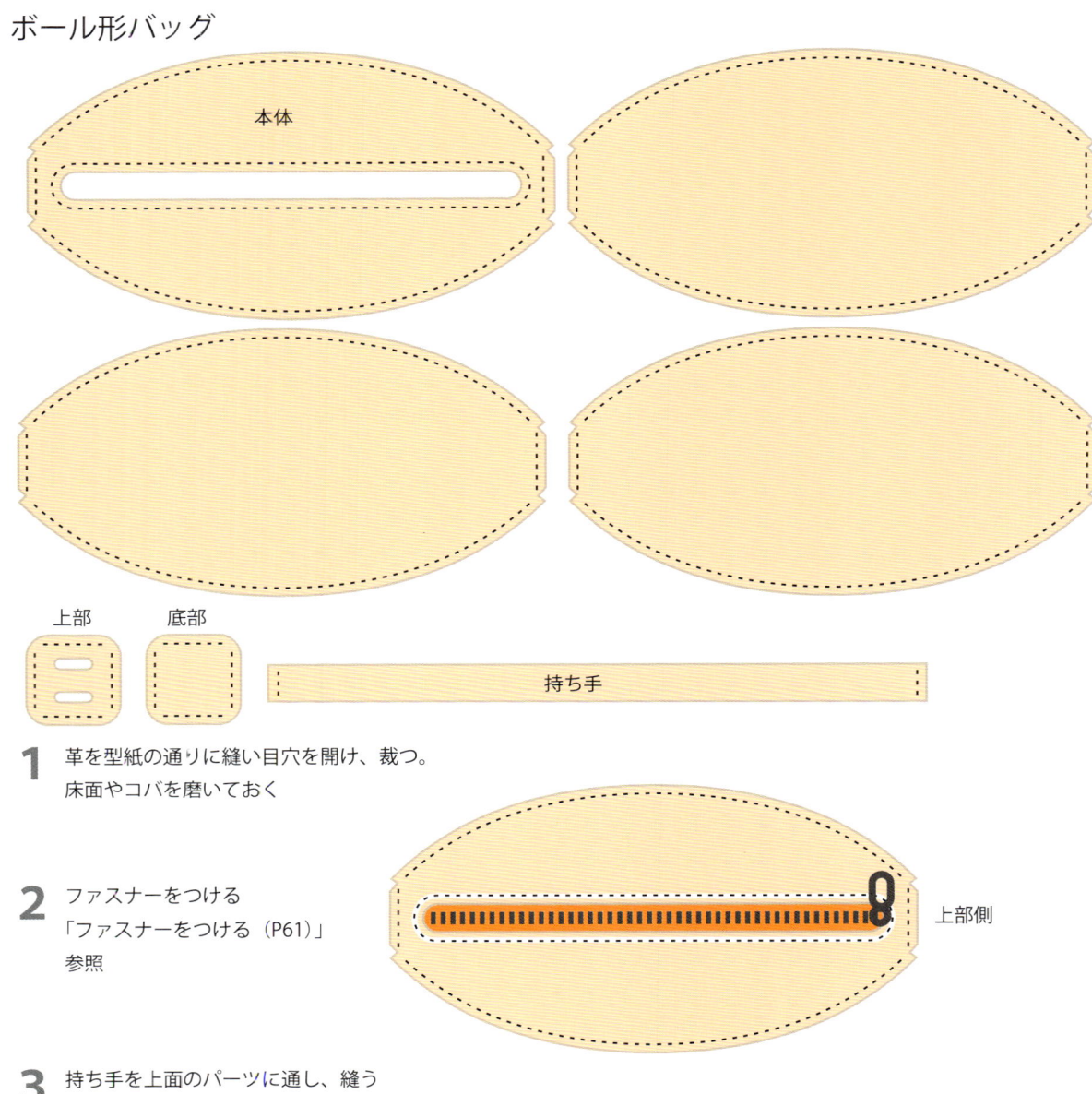

| 上部 | 底部 | | 持ち手 |

1 革を型紙の通りに縫い目穴を開け、裁つ。
床面やコバを磨いておく

2 ファスナーをつける
「ファスナーをつける（P61）」
参照

上部側

3 持ち手を上面のパーツに通し、縫う

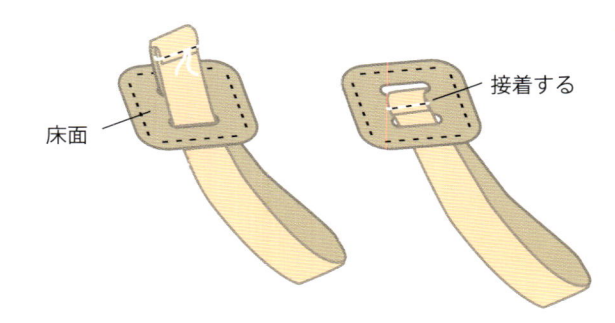

床面　　　　　接着する

100

4 本体を図のように2枚ずつ、縫い目穴の印を合わせて接着する。目打ちで穴位置を数目おきに合わせて微調整し縫う

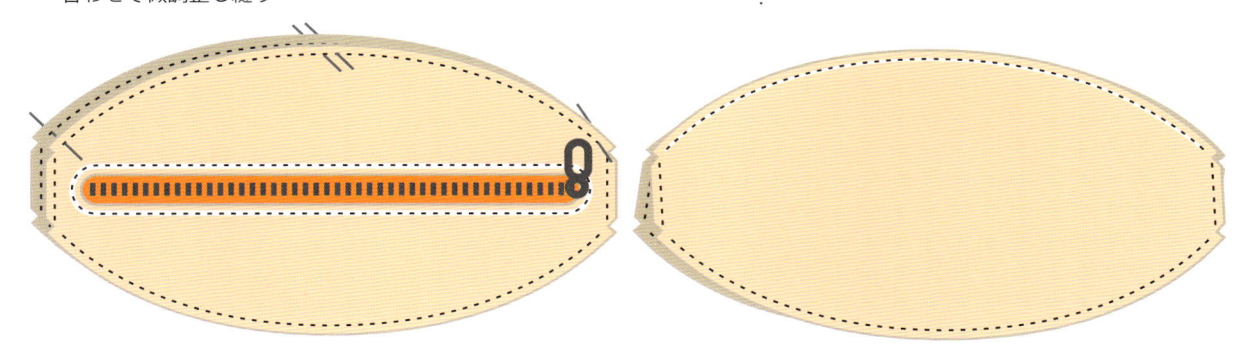

5 4を片側のみ、縫い目穴の印を合わせて接着し、目打ちで穴位置を数目おきに合わせて微調整する。縫い目穴に沿って縫う

片側は、上下のパーツを縫いやすいよう、縫わずに残しておく

6 上下のパーツを縫い目穴を合わせて接着し、縫う。
縫わずに残しておいた部分やファスナーを開けて縫うと縫いやすい

7 縫い残してある本体側面を縫い目穴を合わせて接着し、縫う

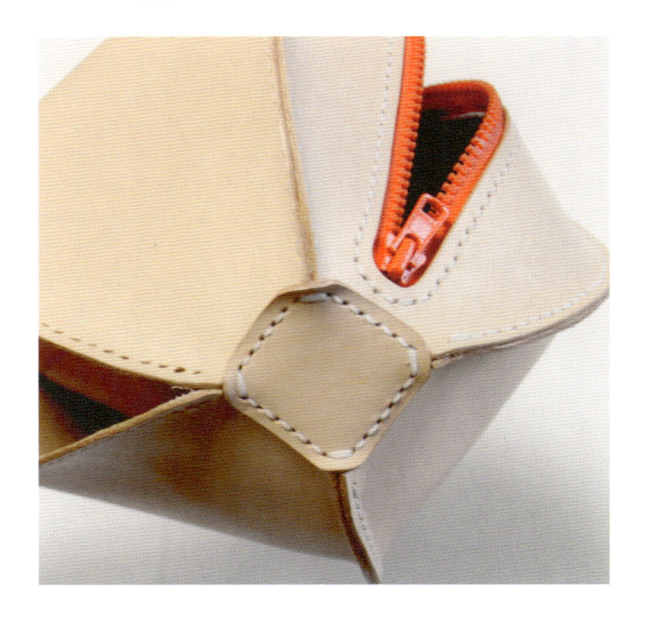

cutting pattern
作り方→P104

ベルトポーチ

ベルトにかける小さめのバッグです。金具はいろいろなデザインがあるので、気に入ったものを選んでつけてください。

detail

how to make

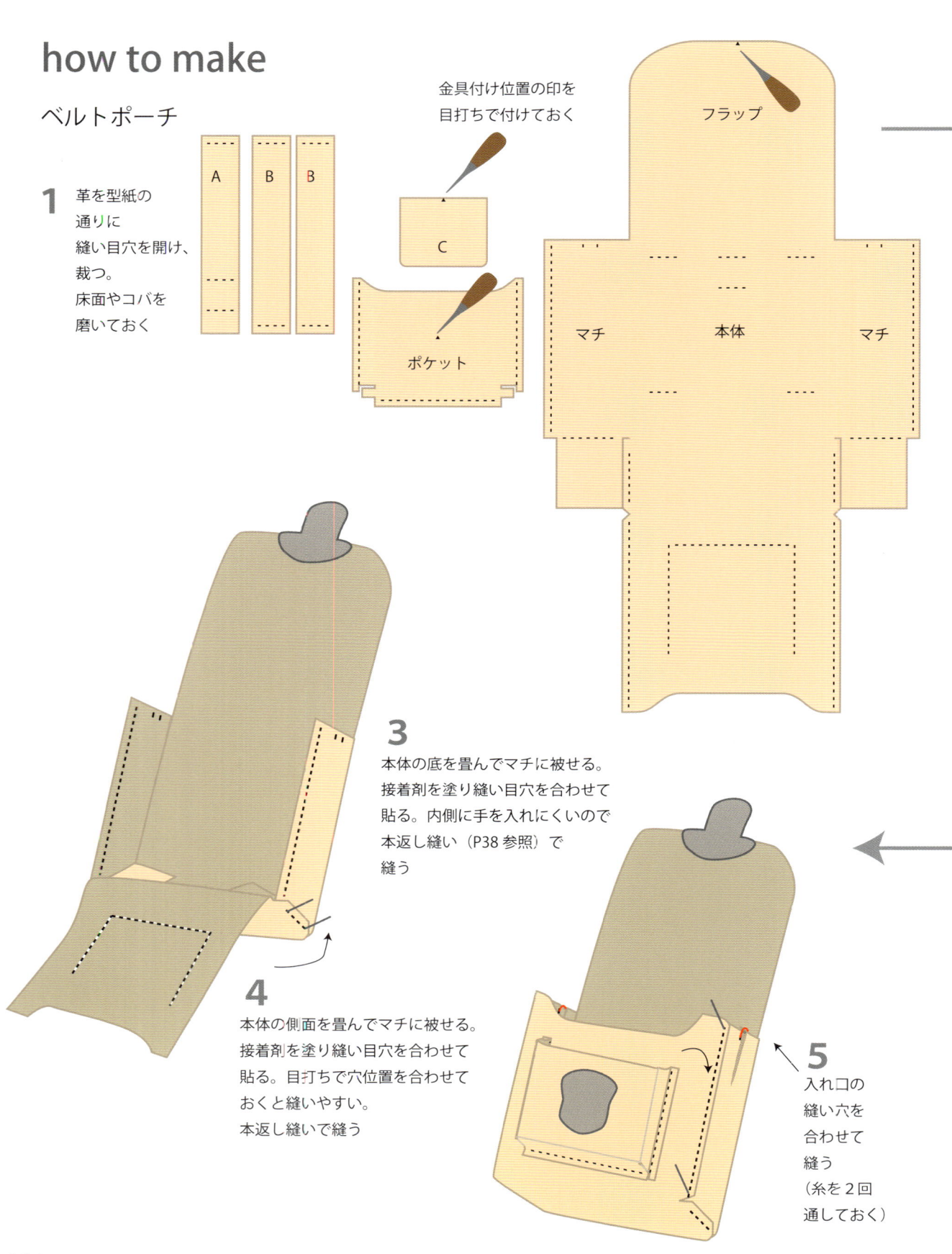

ベルトポーチ

1 革を型紙の通りに縫い目穴を開け、裁つ。床面やコバを磨いておく

金具付け位置の印を目打ちで付けておく

A　B　B

C

ポケット

フラップ

マチ　本体　マチ

3 本体の底を畳んでマチに被せる。接着剤を塗り縫い目穴を合わせて貼る。内側に手を入れにくいので本返し縫い（P38 参照）で縫う

4 本体の側面を畳んでマチに被せる。接着剤を塗り縫い目穴を合わせて貼る。目打ちで穴位置を合わせておくと縫いやすい。本返し縫いで縫う

5 入れ口の縫い穴を合わせて縫う（糸を2回通しておく）

104

2 パーツや金具をつける。
縫い目穴に合わせて貼る。

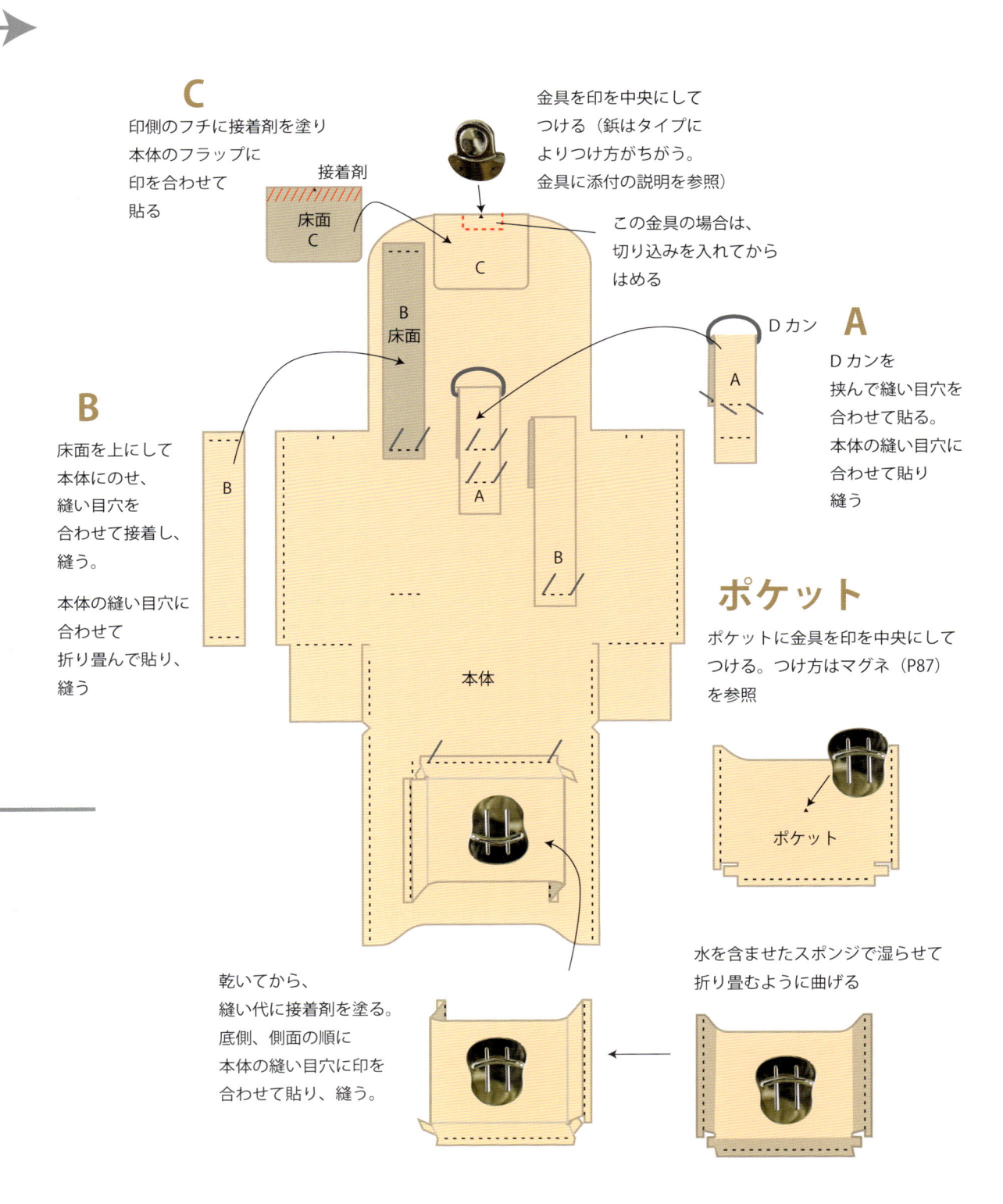

C
印側のフチに接着剤を塗り本体のフラップに印を合わせて貼る

接着剤
床面 C

金具を印を中央にしてつける（鋲はタイプによりつけ方がちがう。金具に添付の説明を参照）

この金具の場合は、切り込みを入れてからはめる

B 床面

D カン

A
D カンを挟んで縫い目穴を合わせて貼る。本体の縫い目穴に合わせて貼り縫う

B
床面を上にして本体にのせ、縫い目穴を合わせて接着し、縫う。

本体の縫い目穴に合わせて折り畳んで貼り、縫う

本体

ポケット
ポケットに金具を印を中央にしてつける。つけ方はマグネ（P87）を参照

ポケット

乾いてから、縫い代に接着剤を塗る。底側、側面の順に本体の縫い目穴に印を合わせて貼り、縫う。

水を含ませたスポンジで湿らせて折り畳むように曲げる

105

cutting pattern

小さな楕円底バッグ

身の回りの小物が入る小さなバッグです。

how to make

持ち手

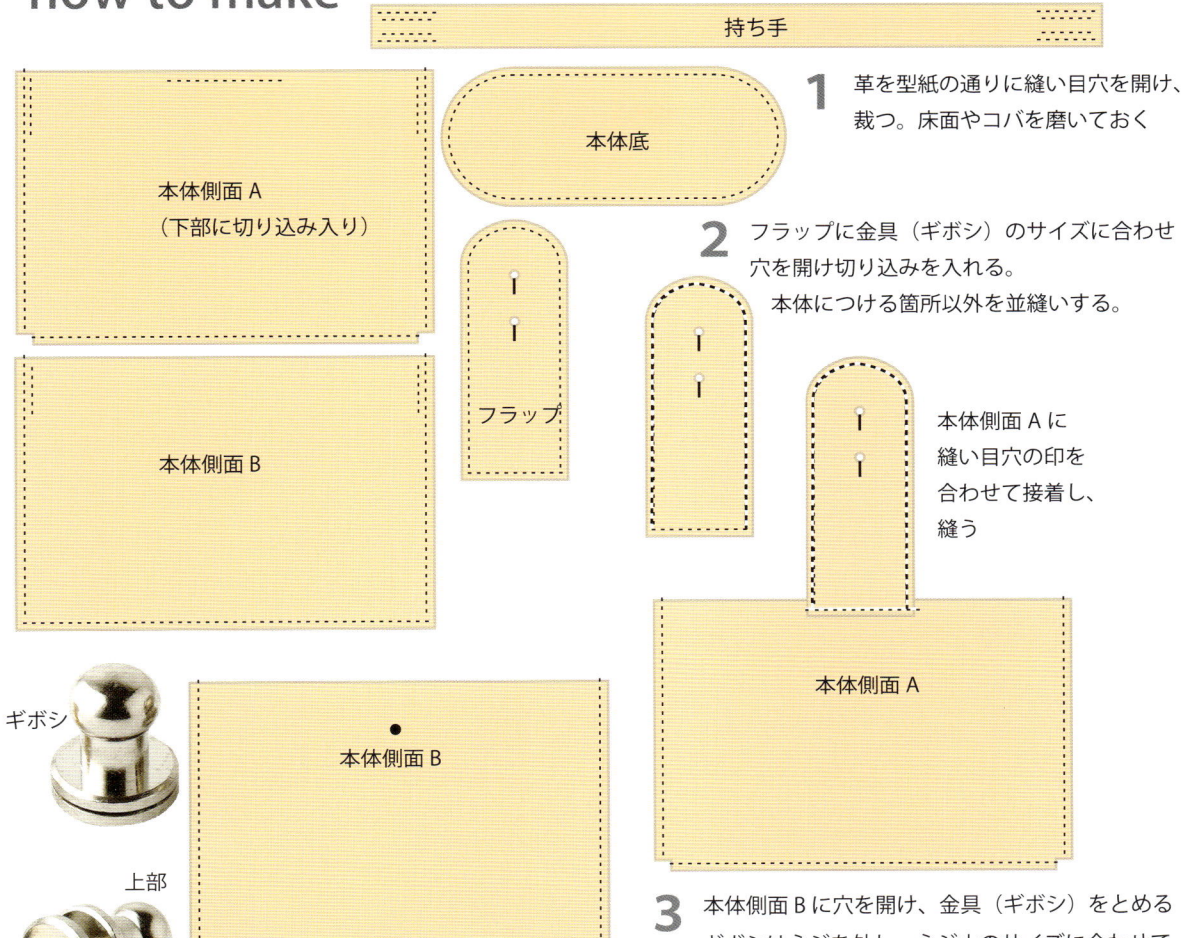

1 革を型紙の通りに縫い目穴を開け、裁つ。床面やコバを磨いておく

本体側面A（下部に切り込み入り）

本体底

フラップ

2 フラップに金具（ギボシ）のサイズに合わせ穴を開け切り込みを入れる。本体につける箇所以外を並縫いする。

本体側面B

本体側面A に縫い目穴の印を合わせて接着し、縫う

本体側面A

ギボシ

本体側面B

上部

底部

3 本体側面Bに穴を開け、金具（ギボシ）をとめる
ギボシはネジを外し、ネジ山のサイズに合わせて穴を開ける。床面側から底部を通し、ネジ山を刺す。銀面側からネジ山にギボシの上部をのせ、ネジを締める

4 本体側面を接着し、縫う。底を接着し、縫う。「曲線の底を接着する（P108）」参照

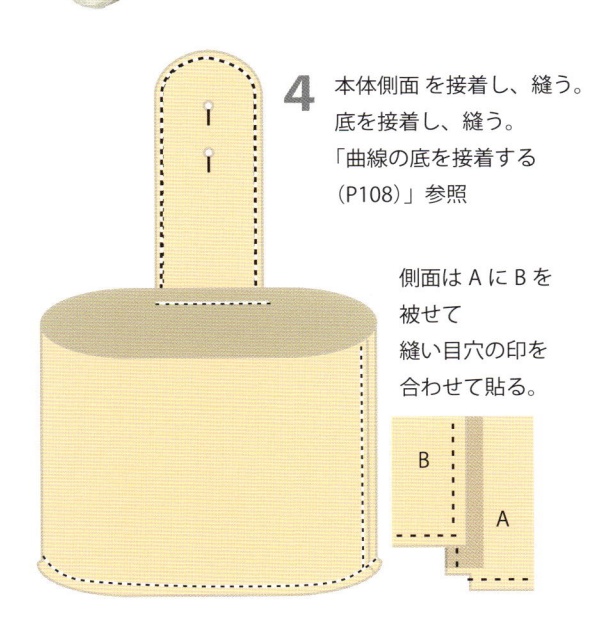

側面はAにBを被せて縫い目穴の印を合わせて貼る。

B A

5 持ち手を飾り縫いする

6 本体側面に縫い目穴を合わせて接着し、縫う

107

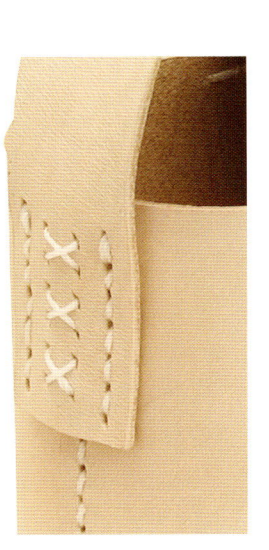

曲線の底を接着する

底が曲線の型紙のものは、側面か底を湿らせ形に沿って曲げてから接着します。

【側面を曲げて接着する】

平らな底になります。
底の革のサイズに
側面が張り出しています。

1 本体の側面を縫い合わせておく。
★作品では、フラップをつけていますが、ここでは解りやすいよう省きました。

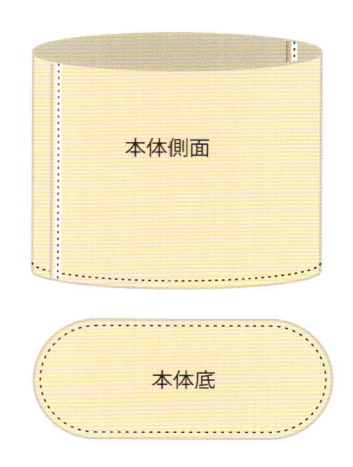

本体側面

本体底

2 本体の側面を縫い代より少し内側で曲げる。
「大きい革を接着する→湿らせて曲げる（P76）」参照

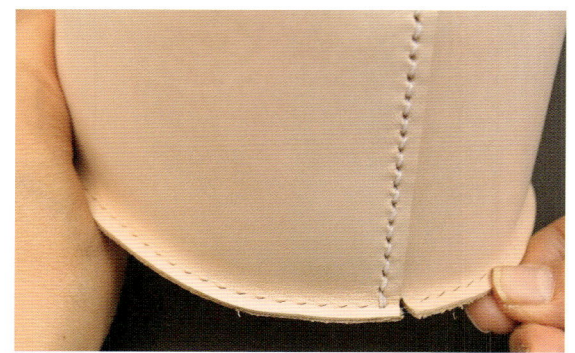

3 縫い代に接着剤を塗る。
縫い目穴の印を合わせて紙を挟みながら接着する
「大きい革を接着する→縫い目を合わせて貼る（P76）」
参照

紙

★
丸底は縫い目穴がずれやすいので、
バッグのサイズが大きい場合は、
右ページのように糸で要所を仮どめしてから
貼り進めます。

【底を曲げて接着する】

側面は垂直になっています。
底面で、底の革の縫い代を
曲げています。

左のバッグの入れ口に
紐を渡してとめると、
バケツ形になります。
こちらは、本体側面の
縫い合わせ箇所を
両脇にしてあります。

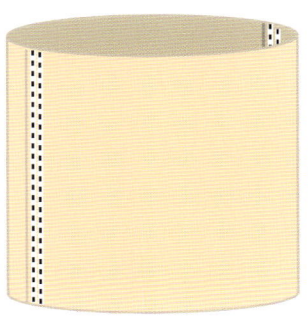

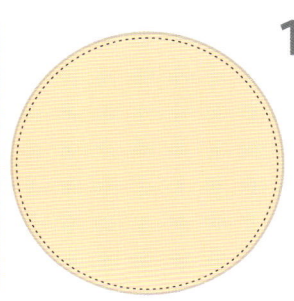

1 本体の側面を縫い合わせておく。
★作品では、持ち手やパーツを
つけていますが、
ここでは解りやすいよう省きました。

2 本体の底を縫い代より少し内側で曲げる。
「大きい革を接着する→湿らせて曲げる（P76）」参照

3 縫い目穴の印の箇所のみに接着剤を少しつけ
印を合わせて接着し、糸で仮止めする

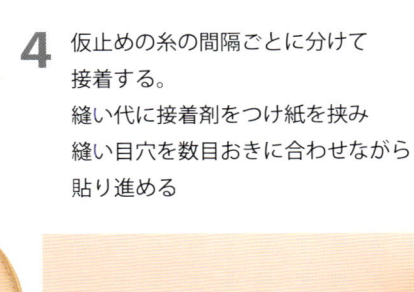

4 仮止めの糸の間隔ごとに分けて
接着する。
縫い代に接着剤をつけ紙を挟み
縫い目穴を数目おきに合わせながら
貼り進める

109

cutting pattern

筒形バッグ

革は湿らせると形が自由に変形できるので、このバッグでは底を曲げて側面に沿わせて貼ってあります。

how to make

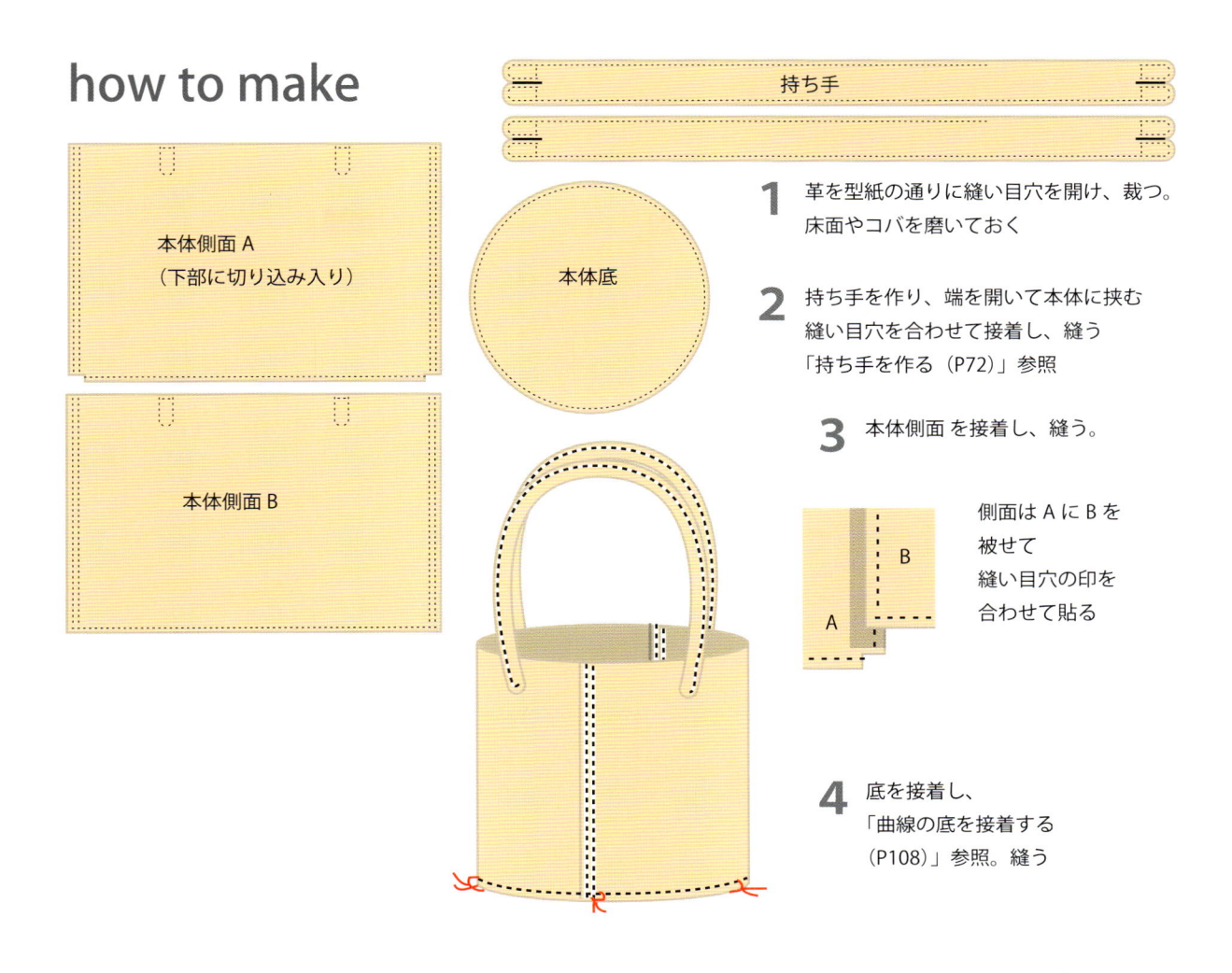

持ち手

本体側面 A
（下部に切り込み入り）

本体側面 B

本体底

1 革を型紙の通りに縫い目穴を開け、裁つ。
床面やコバを磨いておく

2 持ち手を作り、端を開いて本体に挟む
縫い目穴を合わせて接着し、縫う
「持ち手を作る（P72）」参照

3 本体側面 を接着し、縫う。

側面は A に B を
被せて
縫い目穴の印を
合わせて貼る

4 底を接着し、
「曲線の底を接着する
（P108）」参照。縫う

detail

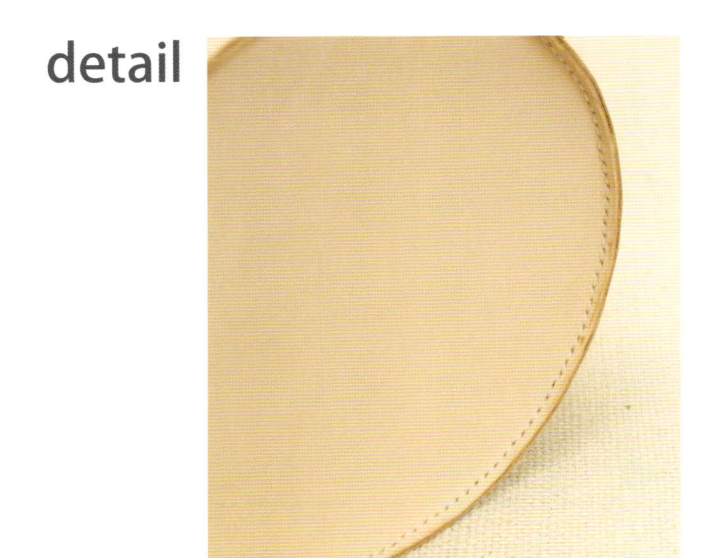

111

cutting pattern

バケツ形バッグ

ボタンがアクセントのバケツ形のバッグ。持ち手の長さやパーツが違いますが、
本体の型紙と作り方は、筒形バッグ（P110）と同じです。
入れ口は革の丸紐を掛けて止めます。

how to make

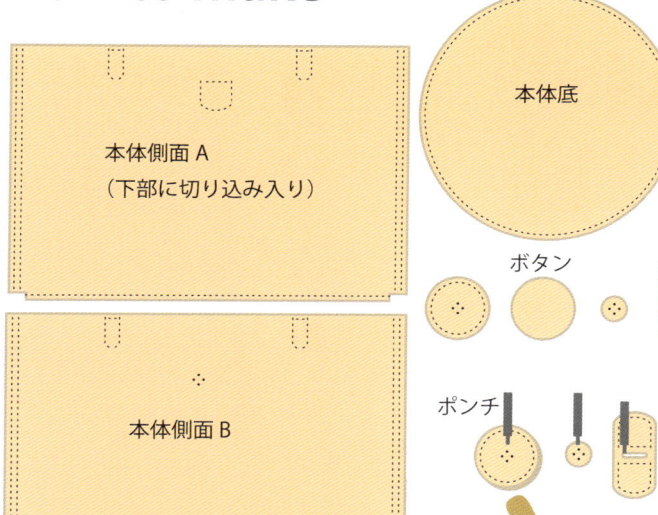

本体側面 A
（下部に切り込み入り）

本体側面 B

本体底

持ち手

ボタン

紐の止め

ポンチ

菱キリ

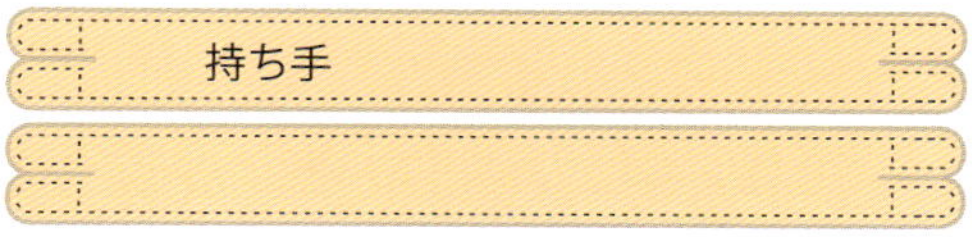

1 革を型紙の通りに縫い目穴を開け、裁つ。
床面やコバを磨いておく

2 ボタンは大きい円形2枚を床面を内側にして
接着し、ポンチで穴を開ける。
縫い目穴を裏側の革まで菱キリで通す。
小さい円形は、ポンチで穴を開ける。
紐の止めは、ポンチで2カ所に穴を開け
カッターで穴をつなぐ

3 紐の止めに革紐を結んで通し、縫い目を合わせて
接着する。
本体Aに縫い目を合わせて接着し、縫う

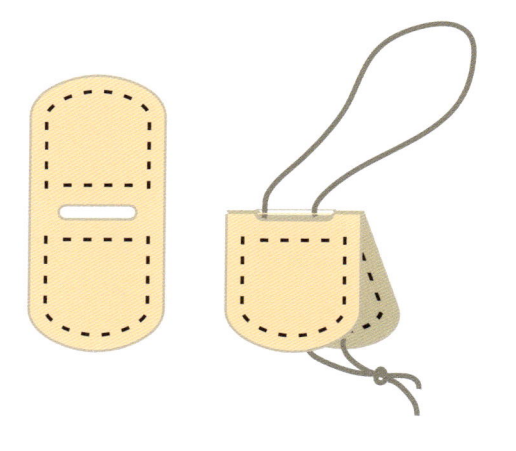

4 本体Bにボタンを小さい方を下にして重ね
縫う

5 持ち手を作り、端を開いて本体に挟む
縫い目穴を合わせて接着し、縫う。
「持ち手を作る（P72）」参照
側面を縫い、底を縫う。
「筒形バッグ（P111）」と
「曲線の底を接着する（P108）」を参照

cutting pattern

2枚はぎのボストンバッグ

2枚はぎの簡単な構造のバッグですが、はぎ合わせの距離が長く
曲線なので、縫い目穴がずれないよう気をつけてください。

how to make

本体側面

本体正面

1 革を型紙の通りに縫い目穴を開け、裁つ。
床面やコバを磨いておく

2 ファスナーをつける「ファスナーをつける（P61）」参照

3 持ち手を作る「持ち手を作る（P72）」参照

4 持ち手を本体に、縫い目穴を合わせて接着し、縫う

5 本体側面を湿らせて外側に曲げる

6 本体側面を本体正面に接着する。
「大きい革を接着する（P76）」を
参照して、両側の底側を接着し、
側面は「曲線の底を接着する
→底を曲げて接着する
（P109）」を参照し、
縫い目穴の印を合わせて
糸で仮止めしてから、
部分ごとに接着剤を
縫い代につけ紙を
挟みながら貼り進める
縫う

曲面は、
縫い代の革を
伸ばしながら貼る

角の縫い目は、
革のすき間に針を入れ
裏側の縫い目穴に出す

cutting pattern
作り方
→P118

曲線底のショルダーバッグ

フラップの飾り部分は、ポンチで柄を描くように穴を開けてあります。
ストラップは、1枚革のショルダーバッグ（P88）と同じです。

detail

121

how to make

工具バッグ

1 革を型紙の通りに縫い目穴を開け、裁つ。
床面やコバを磨いておく

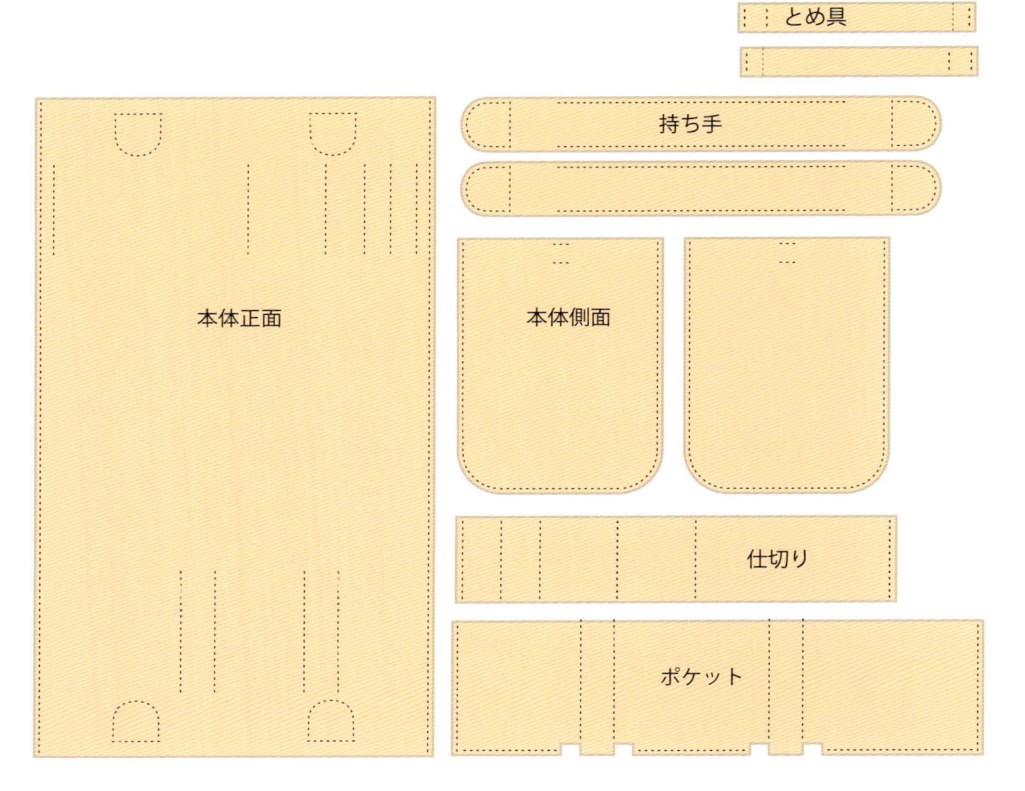

とめ具

持ち手

本体正面

本体側面

仕切り

ポケット

2 金具に留め具の革を通して畳み、縫い目を合わせて縫う
「ストラップを作る（P90）」参照

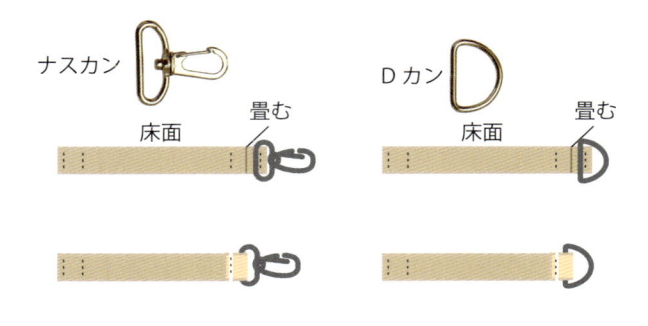

ナスカン
床面　畳む

Dカン
床面　畳む

本体側面にそれぞれ縫い目を合わせて縫う

本体側面

3 持ち手の革に紐を挟んで畳む。縫い目を合わせて接着し、縫う。「持ち手を作る（P72）」参照

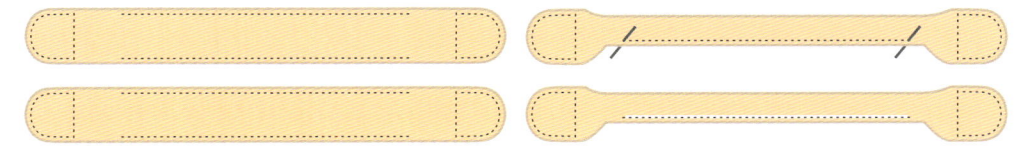

4 ポケットを湿らせて曲げ、軽く跡をつける。革が乾いたら接着する

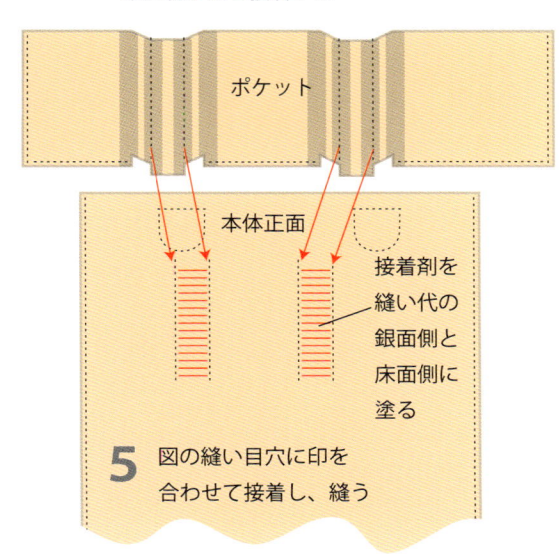

ポケット

本体正面

接着剤を縫い代の銀面側と床面側に塗る

5 図の縫い目穴に印を合わせて接着し、縫う

6 曲げた箇所を湿らせ、しっかり押さえる

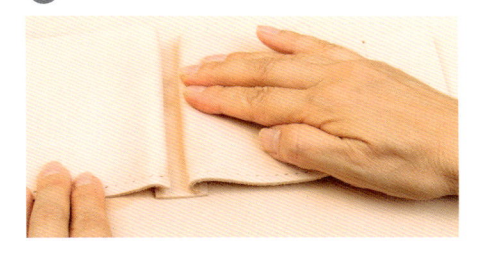

7 革が乾いたら、ポケットの下側の縫い代を接着する。縫い目穴に菱キリを刺し、本体に穴を開ける

8 穴を開けた箇所を縫う

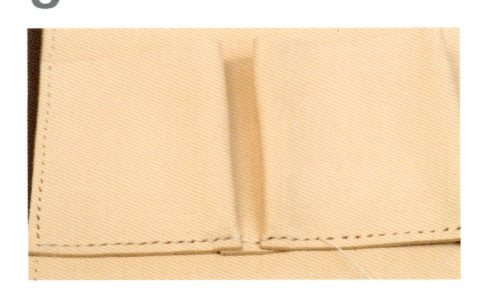

9 仕切りを本体のポケットと反対側の床面に縫い目穴の印を合わせて接着し、縫う

仕切り

床面

本体正面

10 本体に持ち手を縫い目を合わせて接着し、縫う

11 ポケット側面を本体に縫い目穴の印を合わせて接着しておく

12 本体側面を湿らせて外側に曲げる

↑ポケット側面を一緒に縫い合わせる↓

底面から貼る

13 縫い目穴の印を合わせて糸で仮りどめしながら底側を貼る。次に側面を紙を挟みながらそれぞれ貼り進める。「大きい革を接着する（P76）」参照。縫う

123

cutting pattern
作り方→P126

横長書類バッグ

四方にマチのある書類バッグです。マチ部分は先に縫い合わせてから貼ります。

detail

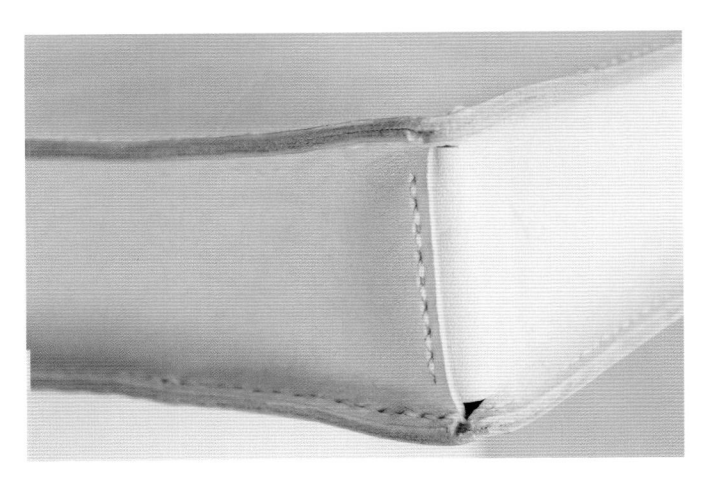

125

4面マチのバッグを作る

2枚の本体正面の革を囲むように側面の4枚の革を縫いつけるタイプです。ここでは「横長書類バッグ」で解説していますが、「書類バッグ」も寸法が違うだけで作り方は同じです。このページを参照して制作してください。

how to make

横長書類バッグ（P124）　　書類バッグ（P130）

1 本体の革を型紙の通りに縫い目穴を開け、裁つ。
床面やコバを磨いておく

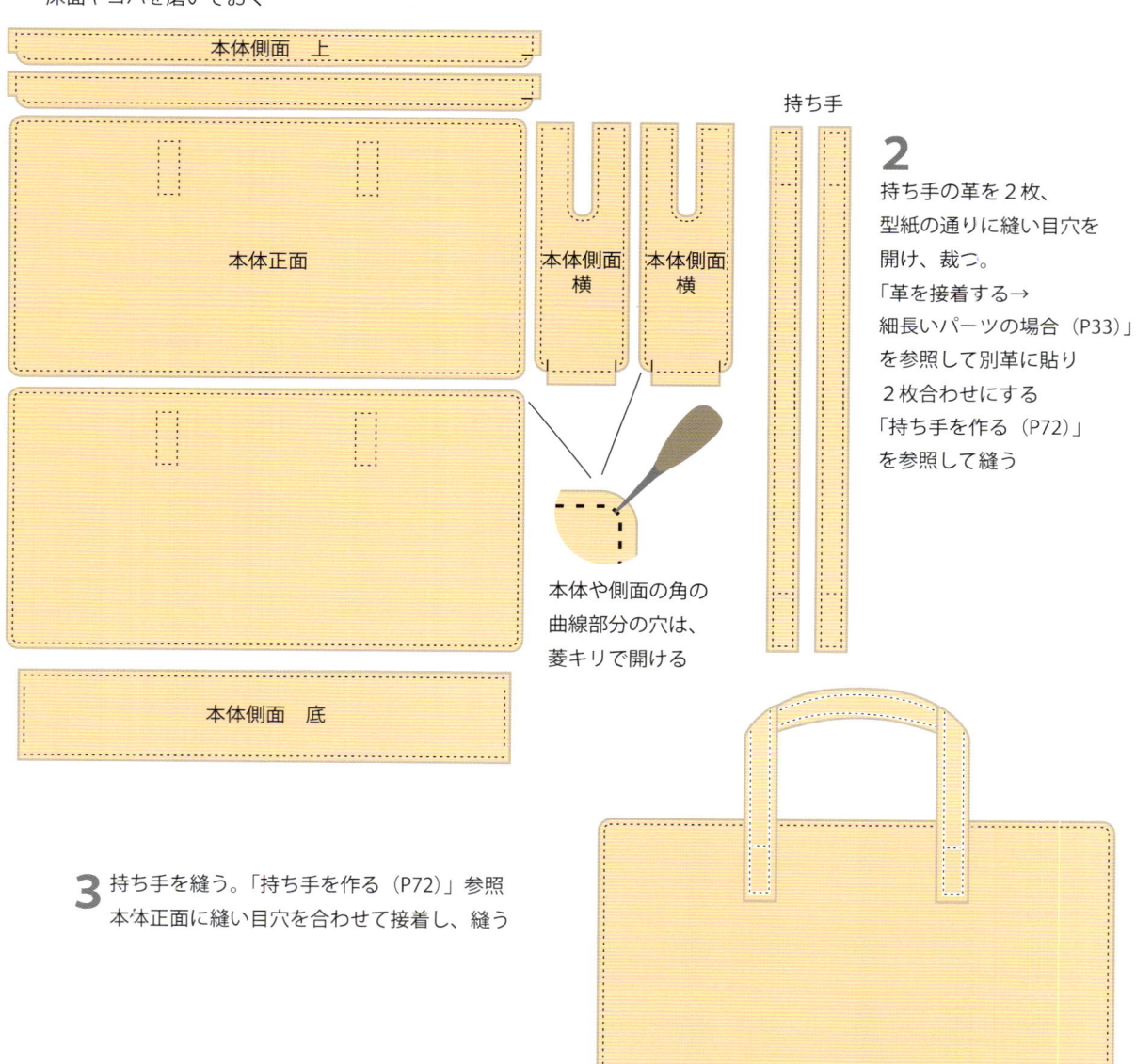

本体側面　上
本体正面
本体側面　横
本体側面　底
持ち手

本体や側面の角の曲線部分の穴は、菱キリで開ける

2 持ち手の革を2枚、型紙の通りに縫い目穴を開け、裁つ。
「革を接着する→細長いパーツの場合（P33）」を参照して別革に貼り2枚合わせにする
「持ち手を作る（P72）」を参照して縫う

3 持ち手を縫う。「持ち手を作る（P72）」参照
本体正面に縫い目穴を合わせて接着し、縫う

4 本体側面を順に、図のように縫い目穴の印を合わせて接着し、縫う

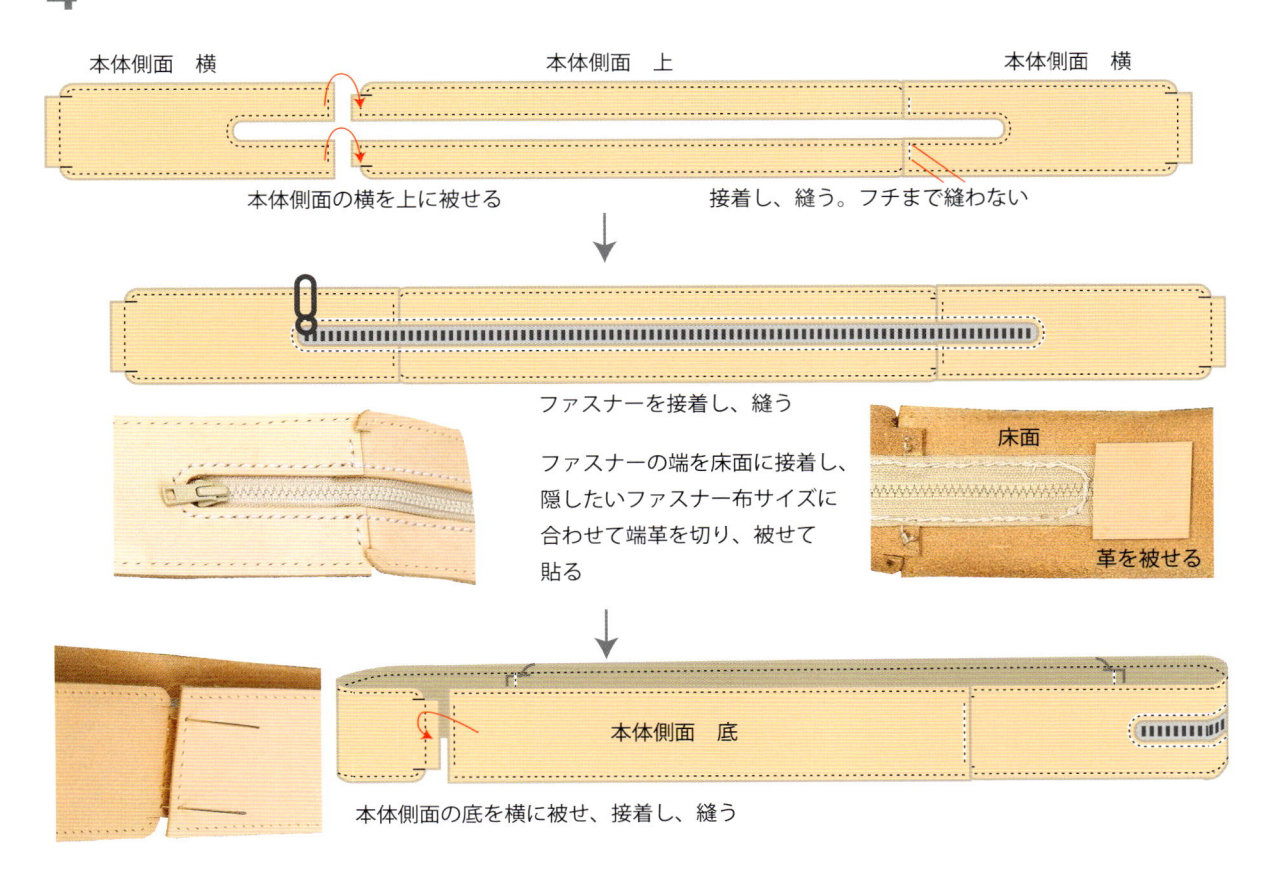

本体側面　横　　　　　　本体側面　上　　　　　　本体側面　横

本体側面の横を上に被せる　　　　接着し、縫う。フチまで縫わない

ファスナーを接着し、縫う

ファスナーの端を床面に接着し、隠したいファスナー布サイズに合わせて端革を切り、被せて貼る

床面

革を被せる

本体側面　底

本体側面の底を横に被せ、接着し、縫う

5 縫い合わせた側面を湿らせて、外側に曲げる。「大きい革を接着する（P76）」参照

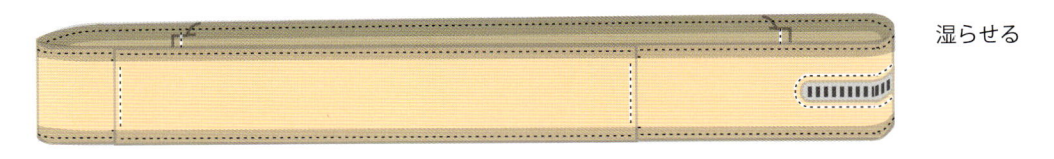

湿らせる

縫い代よりやや内側で曲げる

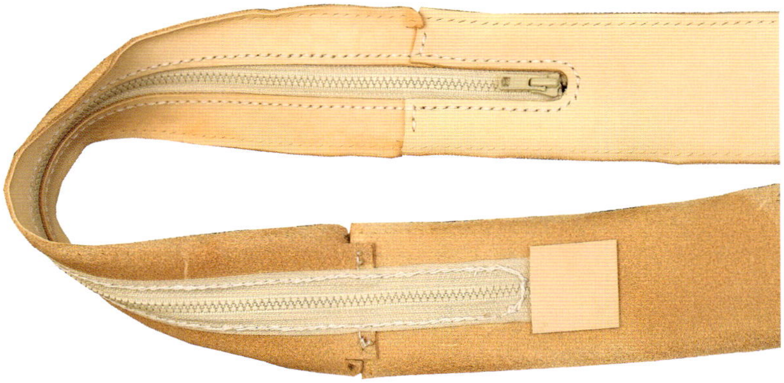

127

6 本体正面と本体側面上の縫い目穴の印を合わせて針を刺し、
糸で仮りどめする。
紙を挟み、数目ずつ縫い目穴を合わせながら接着する。
「大きい革を接着する（P76）」参照。

【型紙】

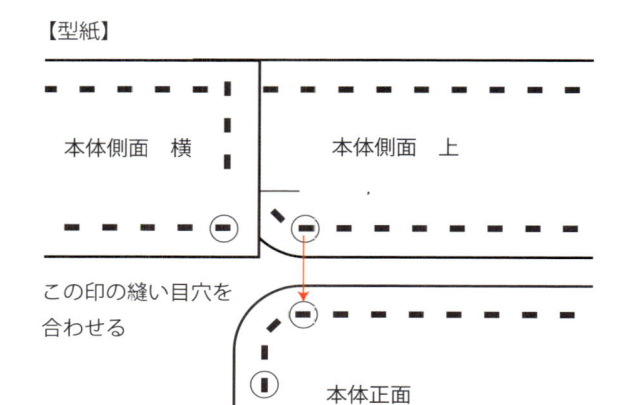

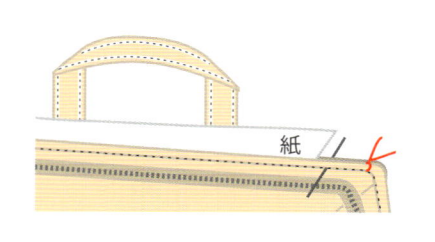

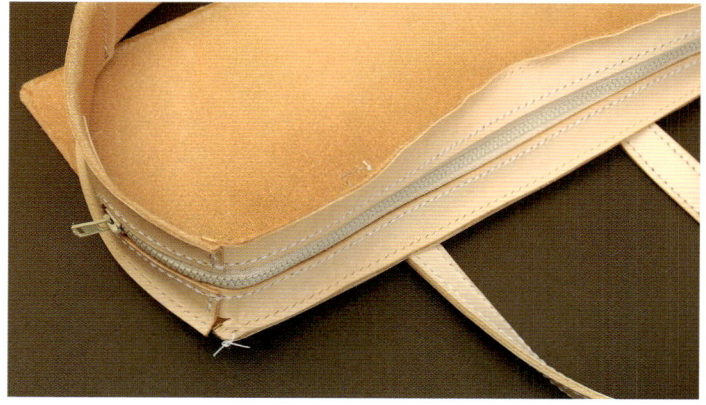

本体側面　横
本体側面　上
この印の縫い目穴を合わせる
本体正面

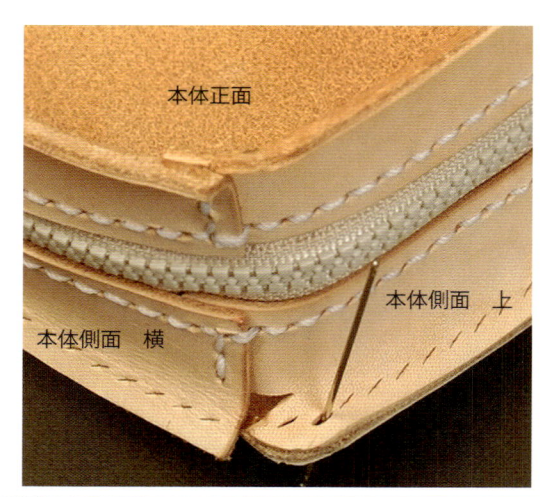

紙

本体正面と
本体側面上の
接着上がり

7 本体正面と本体側面横を6と同様に接着する

【型紙】

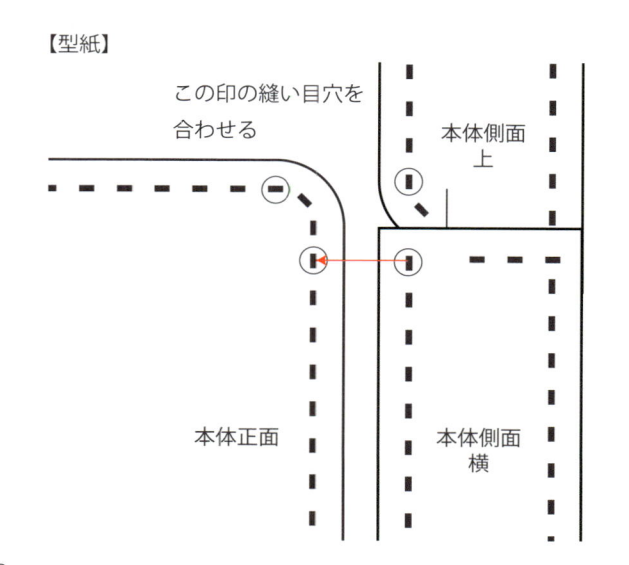

この印の縫い目穴を合わせる
本体側面上
本体正面
本体側面横

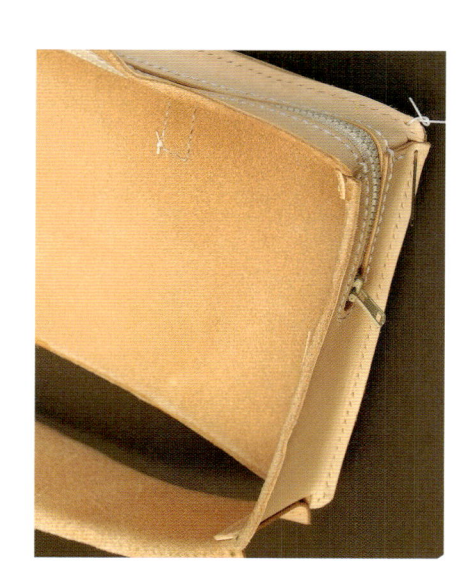

8 本体正面と本体側面底を6と同様に接着する

【型紙】
この印の縫い目穴を
合わせる

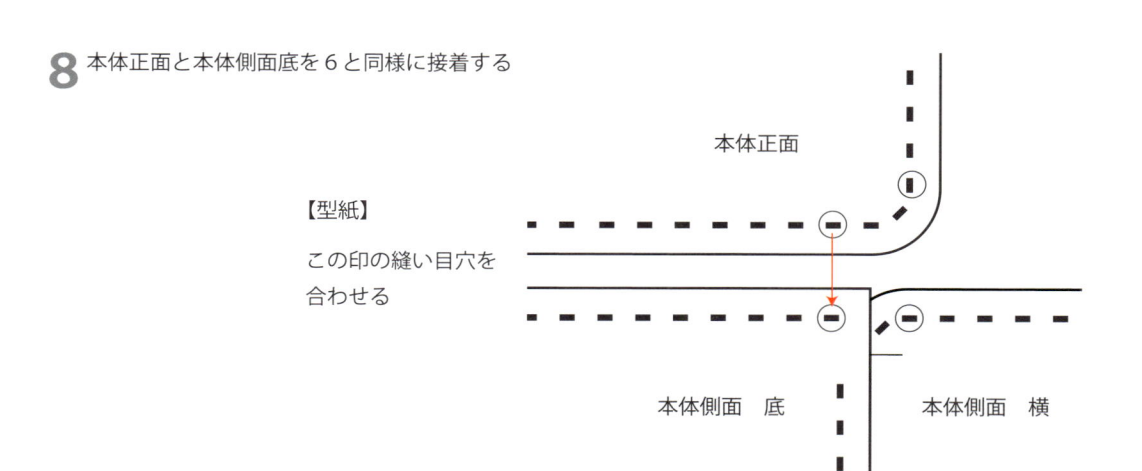

本体正面

本体側面　底　　本体側面　横

9 反対側も同様に接着し、縫う

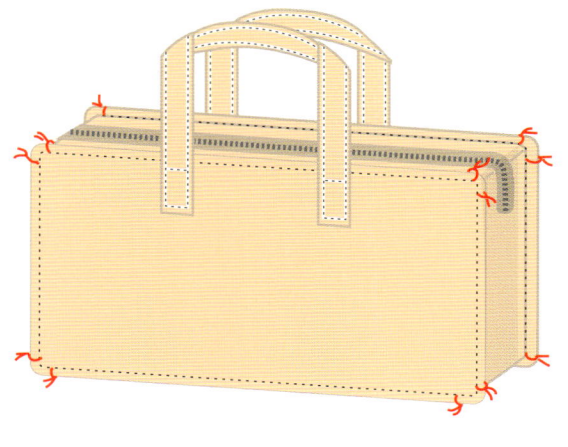

縫い上がり

10 革を湿らせて形を整える

11 縫い代の不揃いな箇所は、ヤスリで削って揃えてからコバをみがく

書類バッグ

cutting pattern
作り方→P126

横長書類バッグと同じ構造ですが、サイズと持ち手のデザインを変えました。

型紙の変形の仕方

バッグの基本デザインは、正面の形とマチをどのようにつけるかでほぼ決まります。基本形を用いて型紙を変形し、持ち手を変えると違う用途やデザインのバッグが作れます。オリジナルデザインのバッグを作ってみてください。
持ち手の変更は、「持ち手を変える（P71）」参照。

【変更箇所に縫い目のないもの】

1枚革のバッグやポーチのように縫い目がない箇所の変更は簡単にできます。

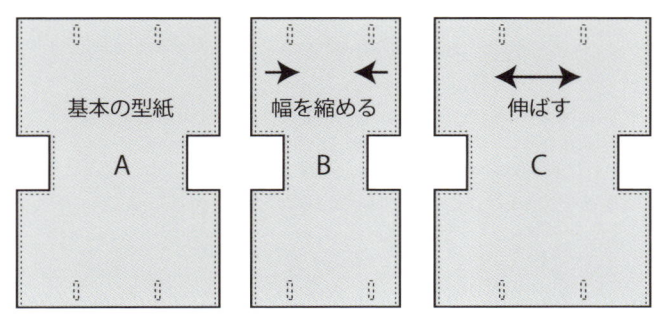

- 基本の型紙 A
- 幅を縮める B
- 伸ばす C

持ち手位置は、極端に変えてしまうと持ちにくいので、あまり大きく変更をしない

型紙の修正

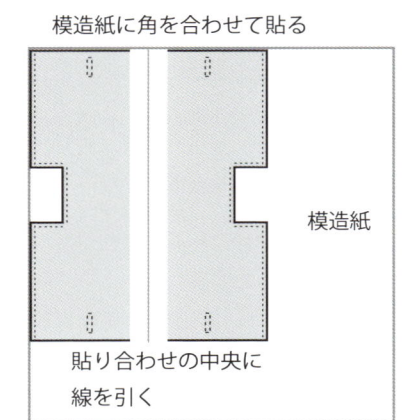

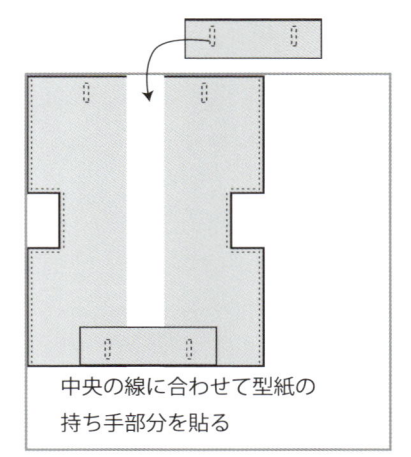

- 型紙を中央で切る
- 模造紙に角を合わせて貼る
- 貼り合わせの中央に線を引く
- 中央の線に合わせて型紙の持ち手部分を貼る

【変更箇所に縫い目がある場合】
縫い目のある箇所のサイズ変更は、型紙を切る際に縫い目穴の間隔を合わせます。

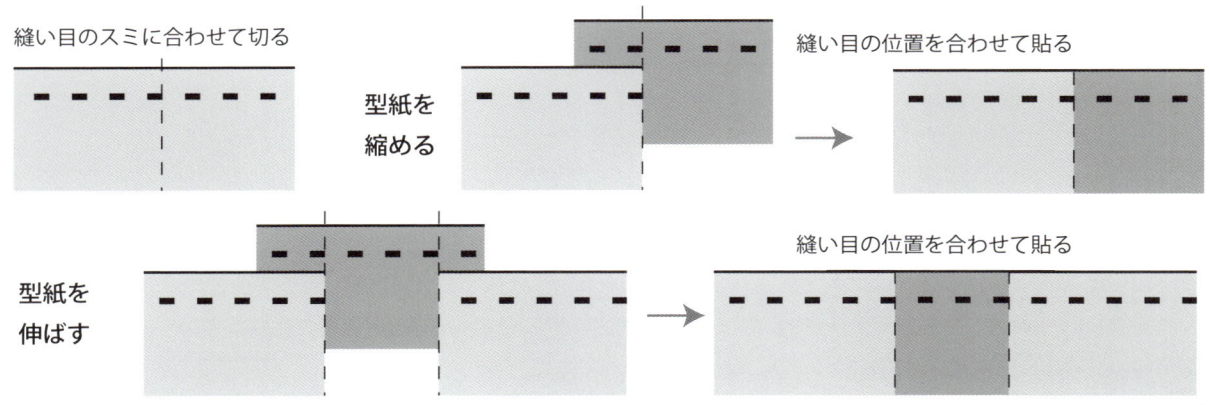

型紙を縮める
縫い目のスミに合わせて切る → 縫い目の位置を合わせて貼る

型紙を伸ばす
→ 縫い目の位置を合わせて貼る

それぞれの変形の仕方

図には持ち手や細かなパーツを省いてあります。

【手帳カバー　P54】

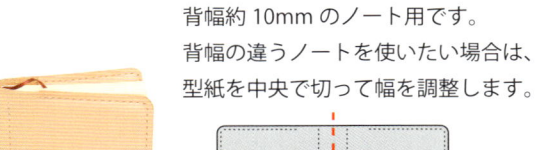

背幅約 10mm のノート用です。
背幅の違うノートを使いたい場合は、
型紙を中央で切って幅を調整します。

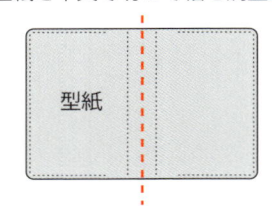

【針入れ　P44】

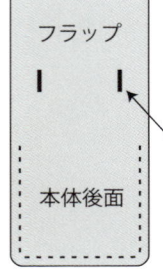

針入れは短めの針用です。
手持ちの針が長い場合に、
本体後面のフラップ部分を
針サイズに合わせて長くし、
持ち手を刺す位置は、
金具をはめてフラップの
折り返し位置を確認し
変更します。

【3枚はぎのバッグ　P74・78】

正面幅の変更

縫い目のない箇所なので本体正面の型紙を切って貼り直します。

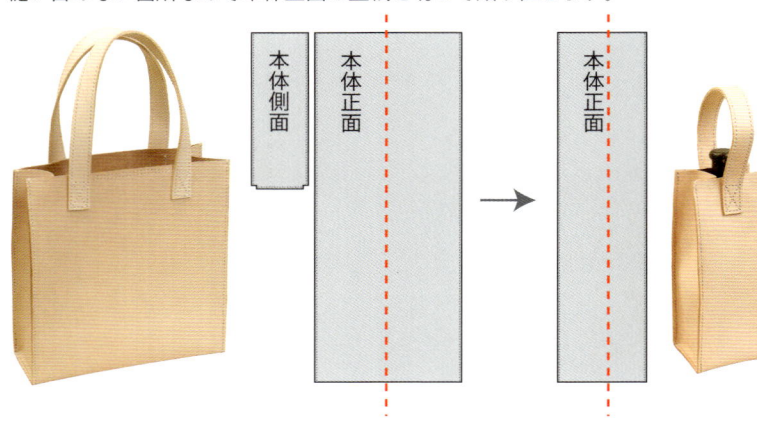

多少サイズが
違いますが、仕上がり
イメージはこんなふうに
なります。

高さの変更

型紙の本体側面の上部と
本体正面の上下を寸法を合わせて
「変更箇所に縫い目がある場合（P131）」
を参照して切り、貼り合わせます。

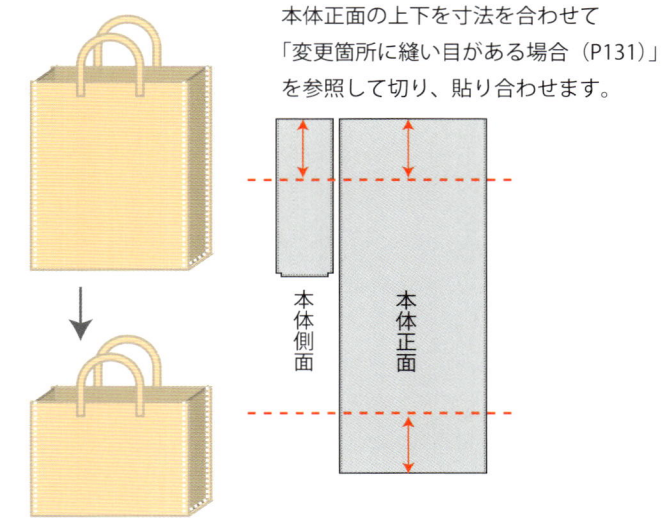

【1枚革のバッグ　P80・84・88・94】

高さは、
同じ方法で変更します。

マチ幅の変更

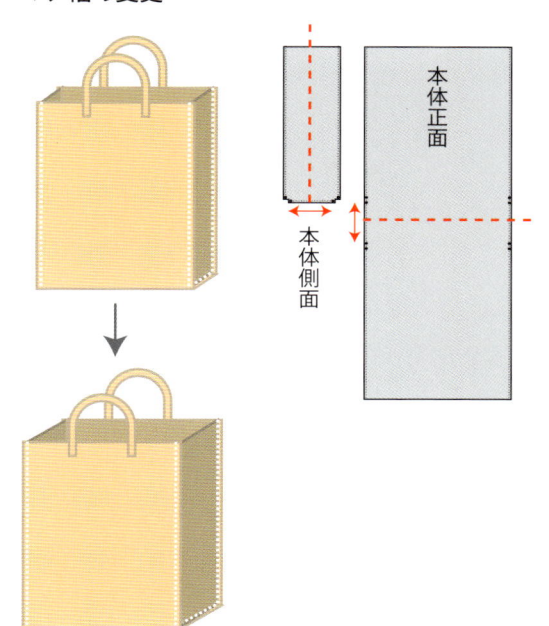

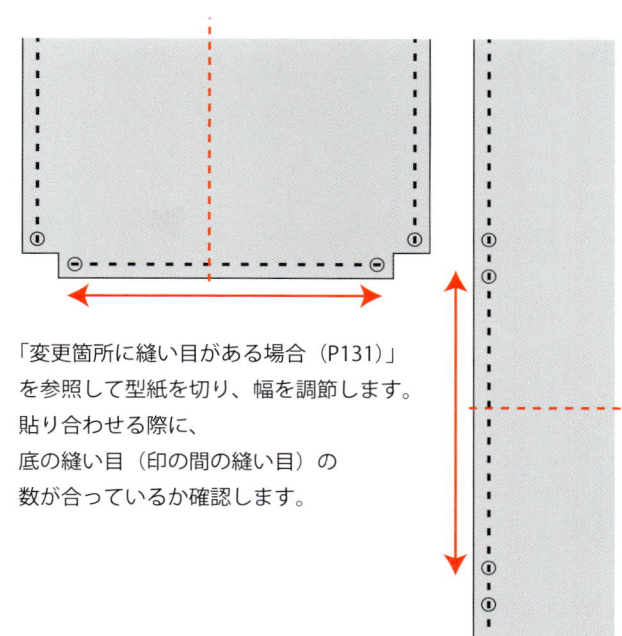

本体側面
本体正面

「変更箇所に縫い目がある場合（P131）」
を参照して型紙を切り、幅を調節します。
貼り合わせる際に、
底の縫い目（印の間の縫い目）の
数が合っているか確認します。

【横長書類バッグ・書類バッグ　P124・130】

高さの変更

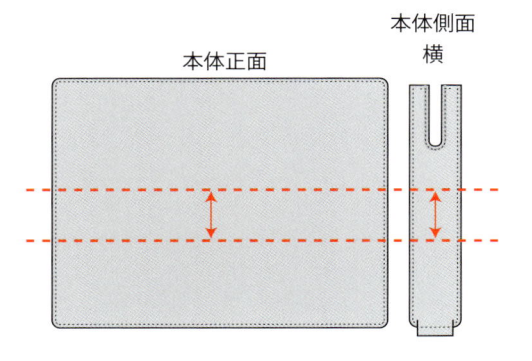

本体正面
本体側面横

型紙の本体正面と本体側面横のを寸法を合わせて
切り、縫い目穴の間隔を合わせて貼ります。

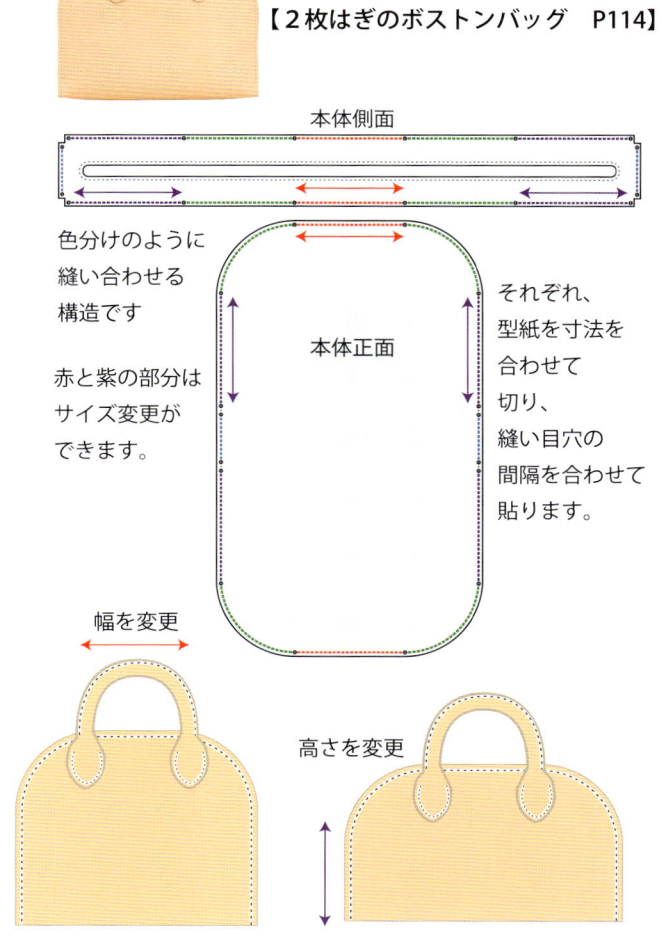

【2枚はぎのボストンバッグ　P114】

本体側面

色分けのように
縫い合わせる
構造です

赤と紫の部分は
サイズ変更が
できます。

本体正面

それぞれ、
型紙を寸法を
合わせて
切り、
縫い目穴の
間隔を合わせて
貼ります。

幅を変更

高さを変更

133

レザークラフトショップ SEIWA

SEIWA http://www.seiwa-net.jp

ビギナーからプロまでをサポートする、レザークラフト用品のセレクトショップ。

ここで紹介するショップは、レザークラフト用品の老舗、SEIWA直営の渋谷店・博多店・高田馬場店。いずれもビギナーからプロまでを対象に、革・道具・金具・ケミカルなどのレザークラフト用品を豊富に展開しています。特にSEIWAが独自に研究開発するケミカル用品は定評があり、プロにも愛用されるほど。また、仕上げ剤の「トコノール」や「レザーフィックス」などは業界を代表する定番品です。その他、ビギナーに向けたアイテムでは、誰でも簡単にレザークラフトをはじめられるように、革の手縫い方法やワンポイントテクニックのガイドがついた「KATAGAMI（型紙）」や、すぐに手縫いを楽しめるように縫い穴をあけた革を使った「レザークラフト・エントリーキット」などを販売。SEIWAが厳選した道具をセットにした「革手縫い工具セット」も入門者に圧倒的な支持を得ています。これからはじめたい人には是非おすすめです。

店内は、商品が種類や用途ごとに整理されており、革の名称や金具の取り付け方を説明したポスターガイドは一目でわかりやすく、ビギナーにも親切で買い物がしやすくなっています。また店内にディスプレイされた店舗スタッフ自作のサンプルは、見ているだけで参考になり作品作りのちょっとしたヒントにも。さらにSEIWAは、各店ごとに誰でも手軽に楽しめるワークショップも定期的に開催。ワークショップについての詳細はSEIWAのオフィシャルホームページをチェックしてください。

〈SEIWA 渋谷店〉

革と合わせて使える金具やチャームなどのコーナーを広くとり、いろいろな素材をミックスして、レザークラフトを楽しんでもらうための提案がされている。革は40cm幅のカット革から半裁まで、常時多数ストック。手軽にはじめたい方のために、小物の制作などに適した端革コーナーも充実。

東急ハンズ渋谷店内
〒150-0002 東京都渋谷区宇田川町12-18
Tel Fax.03-3464-5668

〈SEIWA 博多店〉

JR博多駅直結なのでアクセスがしやすい。レザークラフトをいわゆる伝統的な手工芸としてではなく、ファッショナブルなものとして現代風に提案をしている。そのため、店内のディスプレイにはハイセンスなデザインのものが多い。定期的に開催されているワークショップでは革小物を気軽にリーズナブルな値段で作れるのが魅力。

東急ハンズ博多店内
〒812-0012 福岡県福岡市博多区博多駅中央街 1-1 JR博多シティ
Tel Fax.092-413-5068

〈SEIWA 高田馬場店〉

SEIWA本社1階にある高田馬場店は、JR山手線高田馬場駅より徒歩5分と好立地。レザークラフトでわからないことがあれば、経験豊富なスタッフが丁寧に教えてくれるので質問や相談に行くとよい。部分的な革漉きなどは迅速に対応してくれる。

SEIWA corporation　株式会社 誠和
〒161-8552 東京都新宿区下落合 1-1-1
Tel.03-3364-2113（店舗）

Floor Guide
5 階　SEIWA School、SEIWA Labo
4 階　SEIWA School
3 階　Office
1 階　染色材料、白生地、レザークラフト材料、
　　　皮革青樹会ギャラリー、SEIWA GALLERY

SEIWA本社　高田馬場店

縫い目穴の調整

縫い目穴を合わせて貼り進んだつもりでも縫い目穴の数が合わなくなったら、接着をすべてはがしてやり直せない場合、完全な形には仕上がりませんが、以下の方法で調整してみてください。出来上がりがゆがむので、仕上げの際も革を湿らせて伸ばし、なじませます。

【接着面をはがす】 革を伸ばさないようにはぐために

コバの接着面のすき間に目打ちを刺す

目打ちを斜めに入れ①、刺した穴どうしをこじあけるようにする②

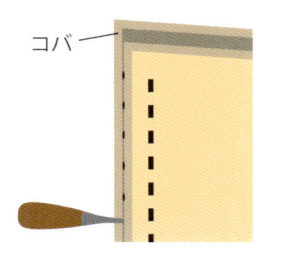

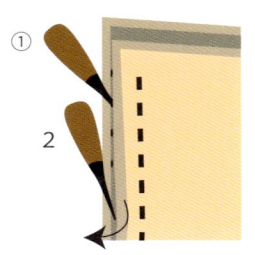

【入れ口が合わない場合】

付属等がついていて切りそろえられないときは、

1 入れ口から10cmほど縫い代の接着面をはがす。

2 短い方の革を揃うように引っぱり伸ばす

革を湿らせて伸ばす

3 乾いたら伸ばした側に、菱キリで1目穴を足す

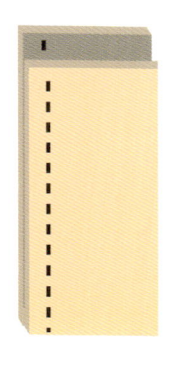

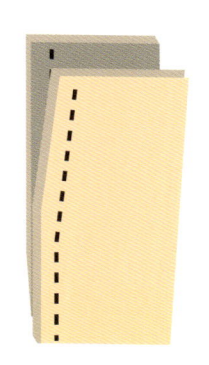

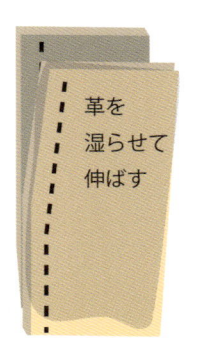

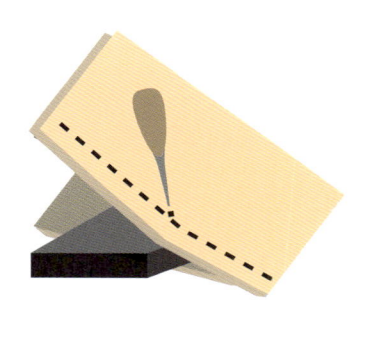

4 穴を足した箇所の数目手前で縫いとめ、次に入れ口側から目打ちで穴を合わせながら縫う

5 縫い代を開いて接着剤を塗り、しっかり接着する

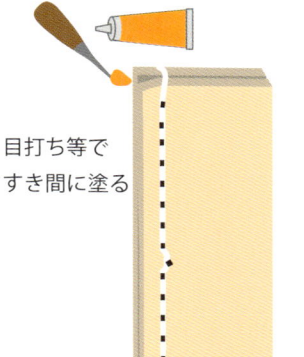

目打ち等ですき間に塗る

【途中の目が合わない場合】

入れ口の場合と同様に、湿らせて伸ばし、穴を足して縫う

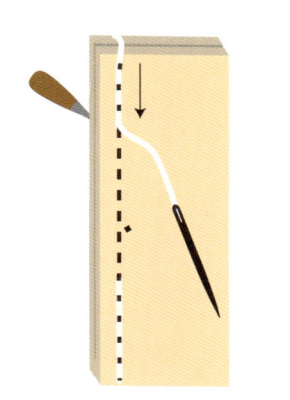

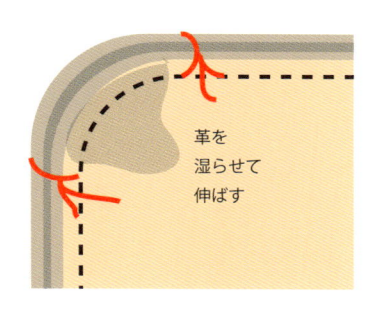

革を湿らせて伸ばす

本 開く

ゲージは、160%に拡大すると20cmになります。

chapter 4

型紙

chapter 2・3の縫い目穴入りの型紙です。
● 枚数が表示されていないものは、1枚です。
● 縮小してあるので、A3サイズの紙に160%に拡大してから制作します。
● 図面がゆがまないように本のノドをしっかりと開いてコピーしてください。
● 拡大コピーは、ページ内ゲージのサイズが20cmになっているか確認しましょう。
● 各作品の仕上がりサイズは、おおまかなものです。図面のサイズとは多少異なります。
● 付属の金具等は、160%に拡大すると実物大に近い大きさになります。

Contents 【型紙ページ目次】

chapter 2

封筒形ケース	138
パスと名刺のケース	139・157
CDサイズのバッグ	139
LPサイズのバッグ	140
手帳カバー	142
ツールポーチ	143

chapter 3

ファスナーつきペンケースケース	144
三角ポーチ	145
平たいケース	144・146
3枚はぎの縦長バッグ	147
3枚はぎのトートバッグ	148・171
1枚革のファスナーつきポーチ	151
1枚革のトートバッグ	152
1枚革のショルダーバッグ	155
針入れ	157
1枚革のファスナーつきバッグ	158
ダーツ入りバッグ	160
ベルトポーチ	162
ボール形バッグ	164
小さな楕円底バッグ	165
筒形バッグ	165・167
バケツ形バッグ	165・167
2枚はぎのボストンバッグ	170
曲線底のショルダーバッグ	172
ポンチ（ハトメ抜き）サイズ表	173
工具バッグ	175
横長書類バッグ	179
書類バッグ	181

4章はコピーしやすいように型紙を配置するために、ページ表示が内側になっています。

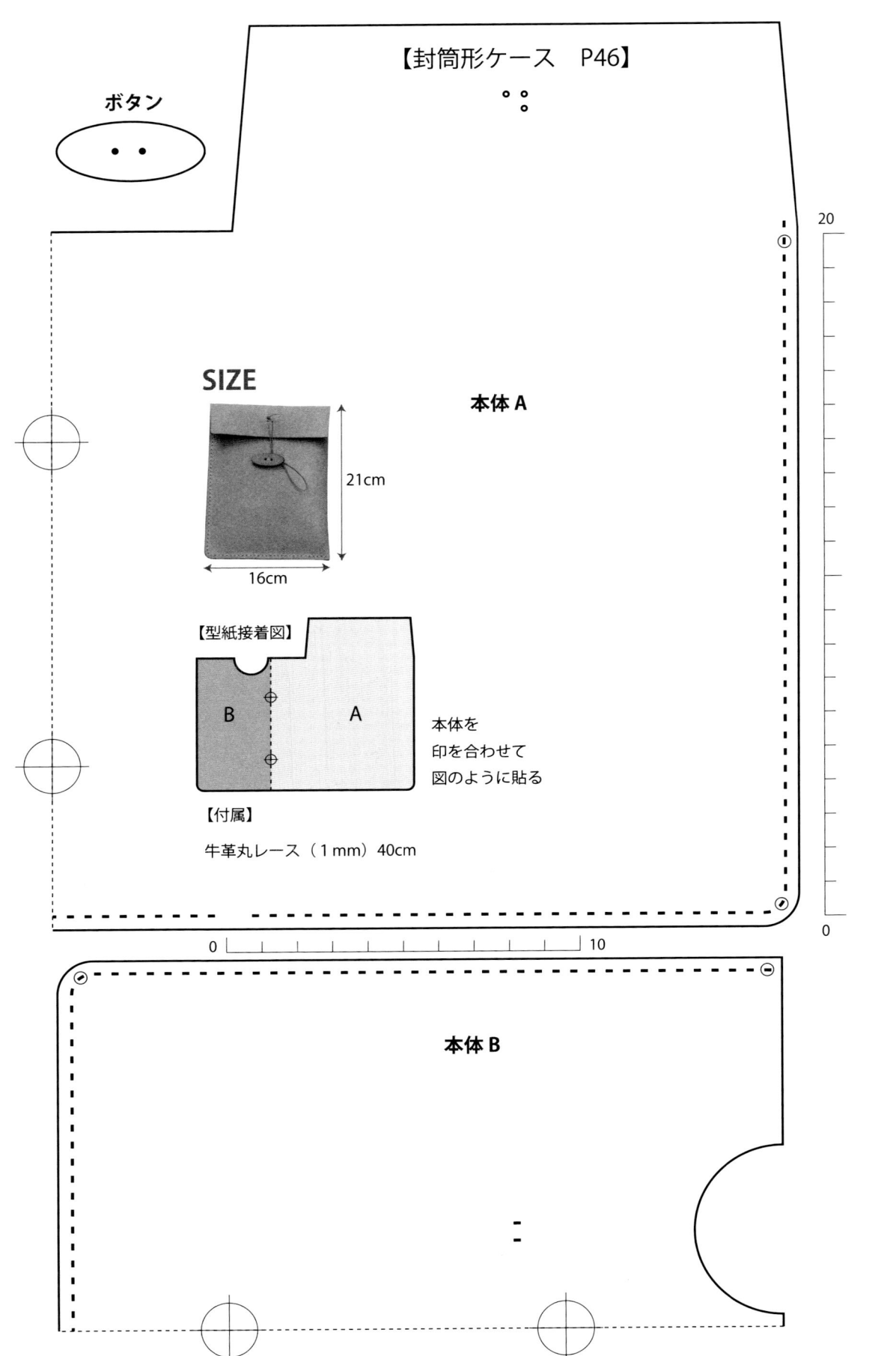

160%

【封筒形ケース　P46】

ボタン

SIZE

21cm
16cm

本体 A

【型紙接着図】

B　A

本体を
印を合わせて
図のように貼る

【付属】

牛革丸レース（1mm）40cm

20

0

0　　　　　　　　　10

本体 B

138

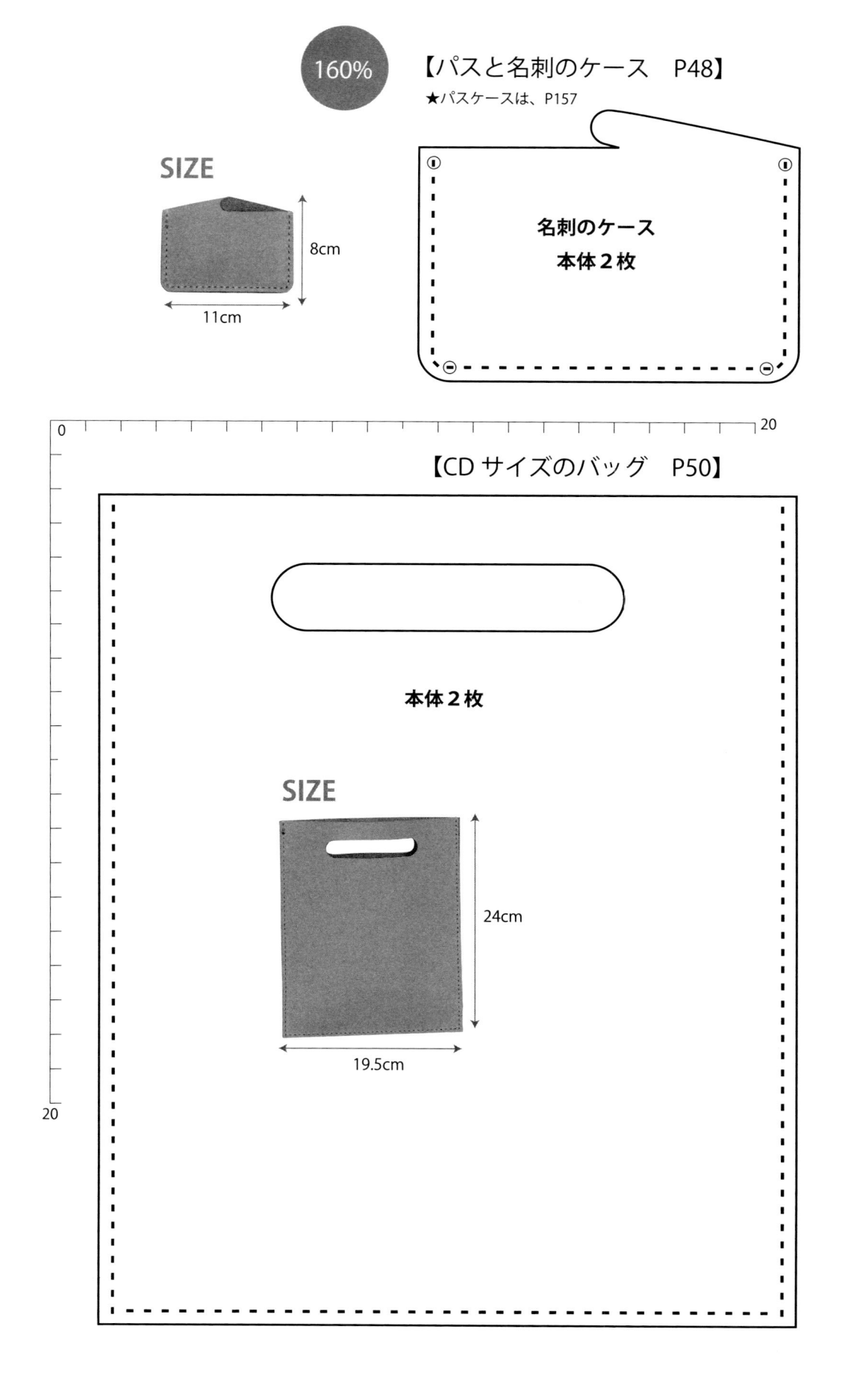

160%

【パスと名刺のケース　P48】
★パスケースは、P157

SIZE
11cm
8cm

名刺のケース
本体2枚

【CDサイズのバッグ　P50】

本体2枚

SIZE
19.5cm
24cm

【LPサイズのバッグ　P52】

本体A 2枚

裏側のベルト付け用縫い目穴

表側のベルト付け用縫い目穴

SIZE
35cm
34.5cm

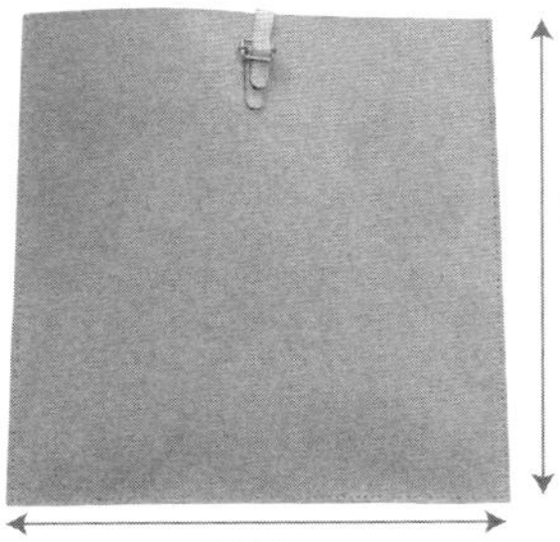

【型紙接着図】

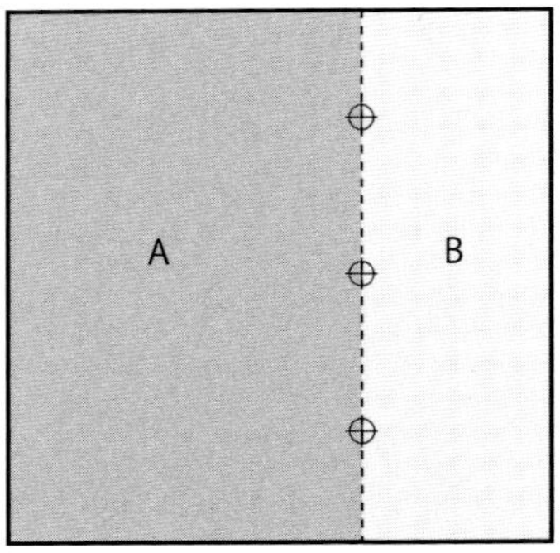

A　B

本体を
印を合わせて
図のように貼る。
これを2枚作る

【付属】

線コキ

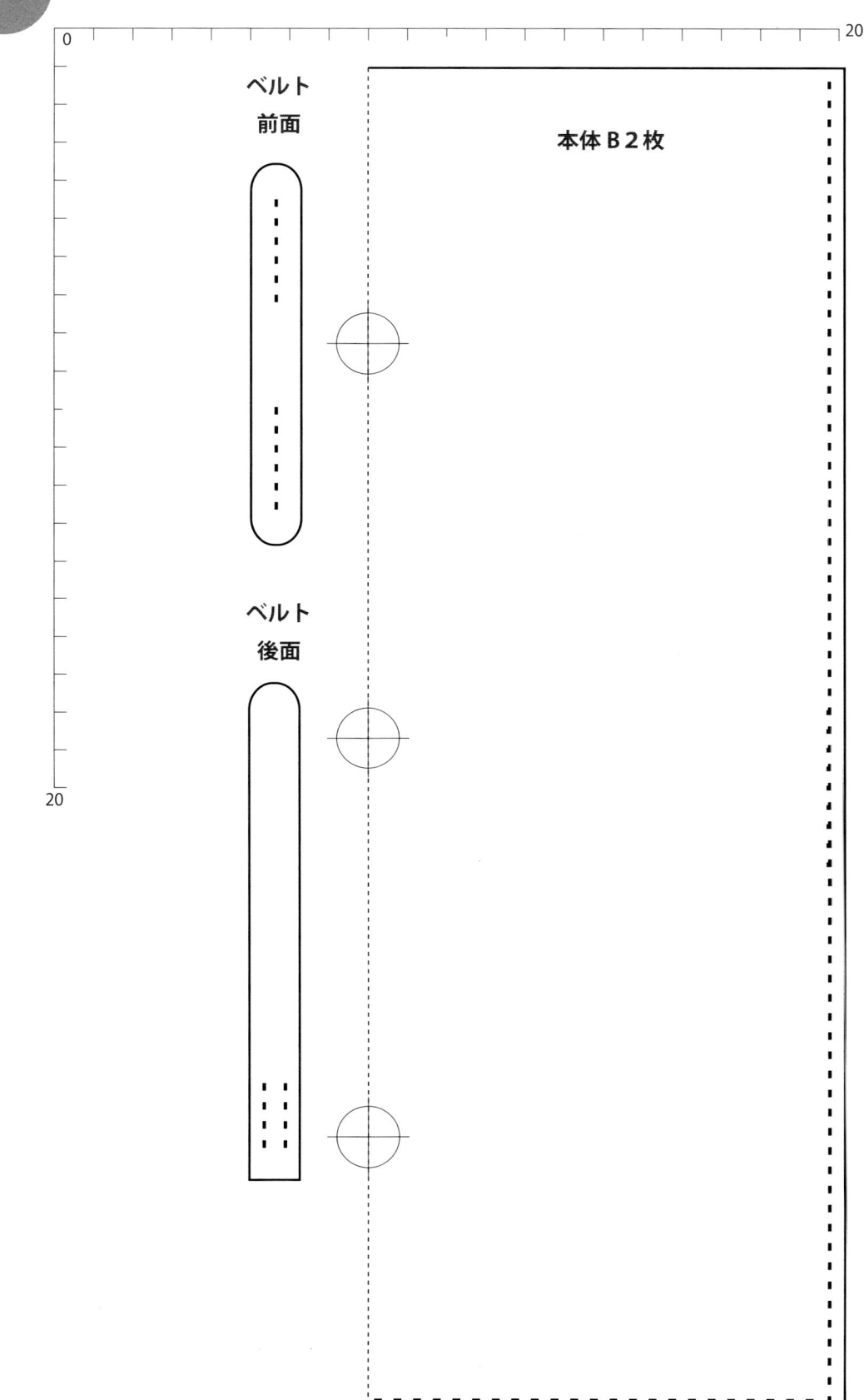

160%

ベルト
前面

ベルト
後面

本体 B 2枚

【手帳カバー　P54】　160%

本体2枚

SIZE

16.5cm
11.5cm

文庫本サイズ　背幅1cm用

ポケット

ポケット

ツールポーチの
ベルト通し2枚

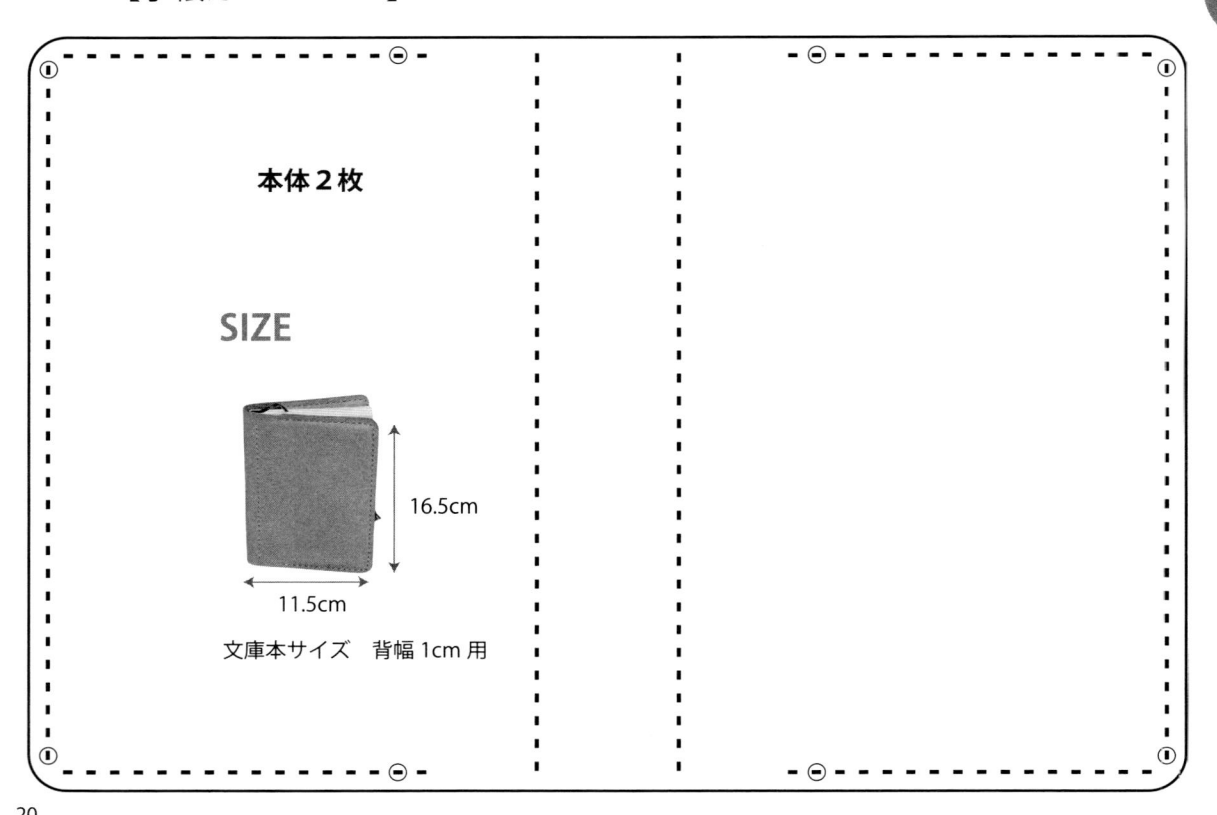

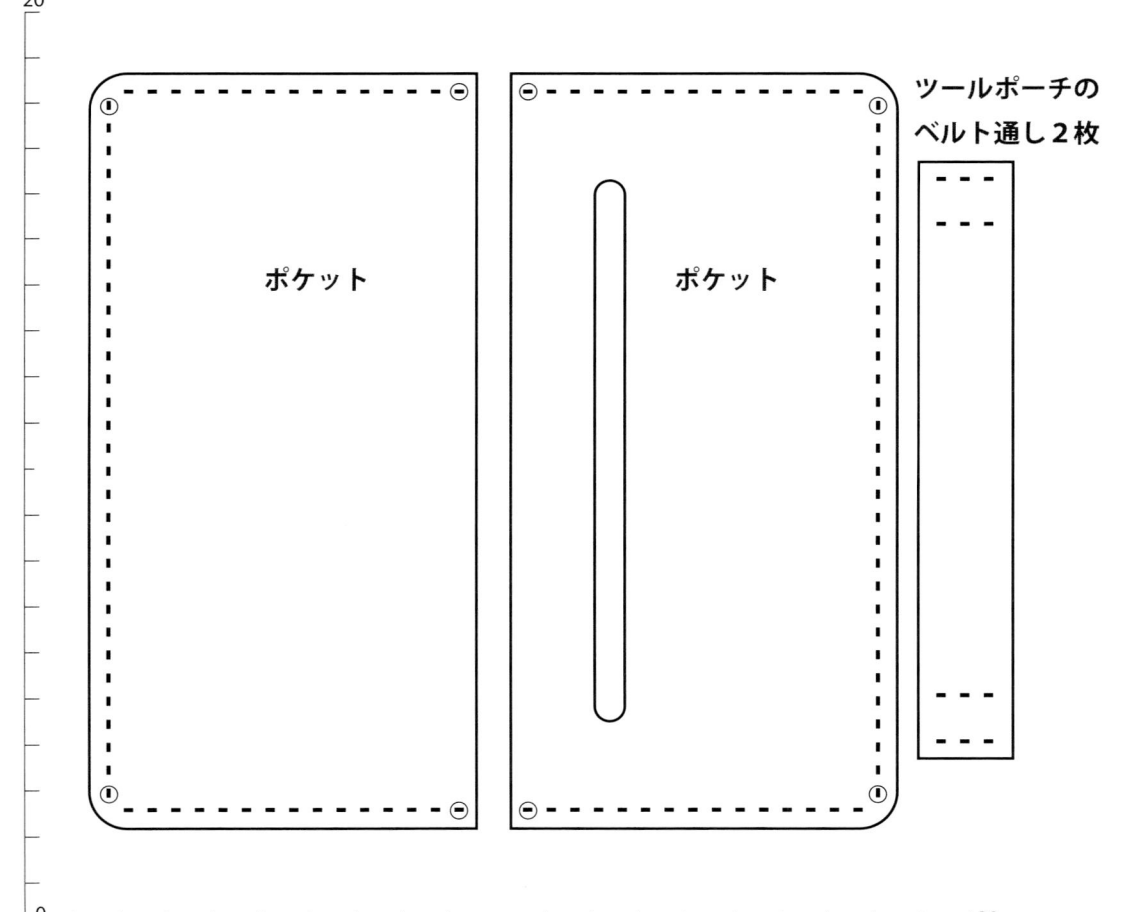

142

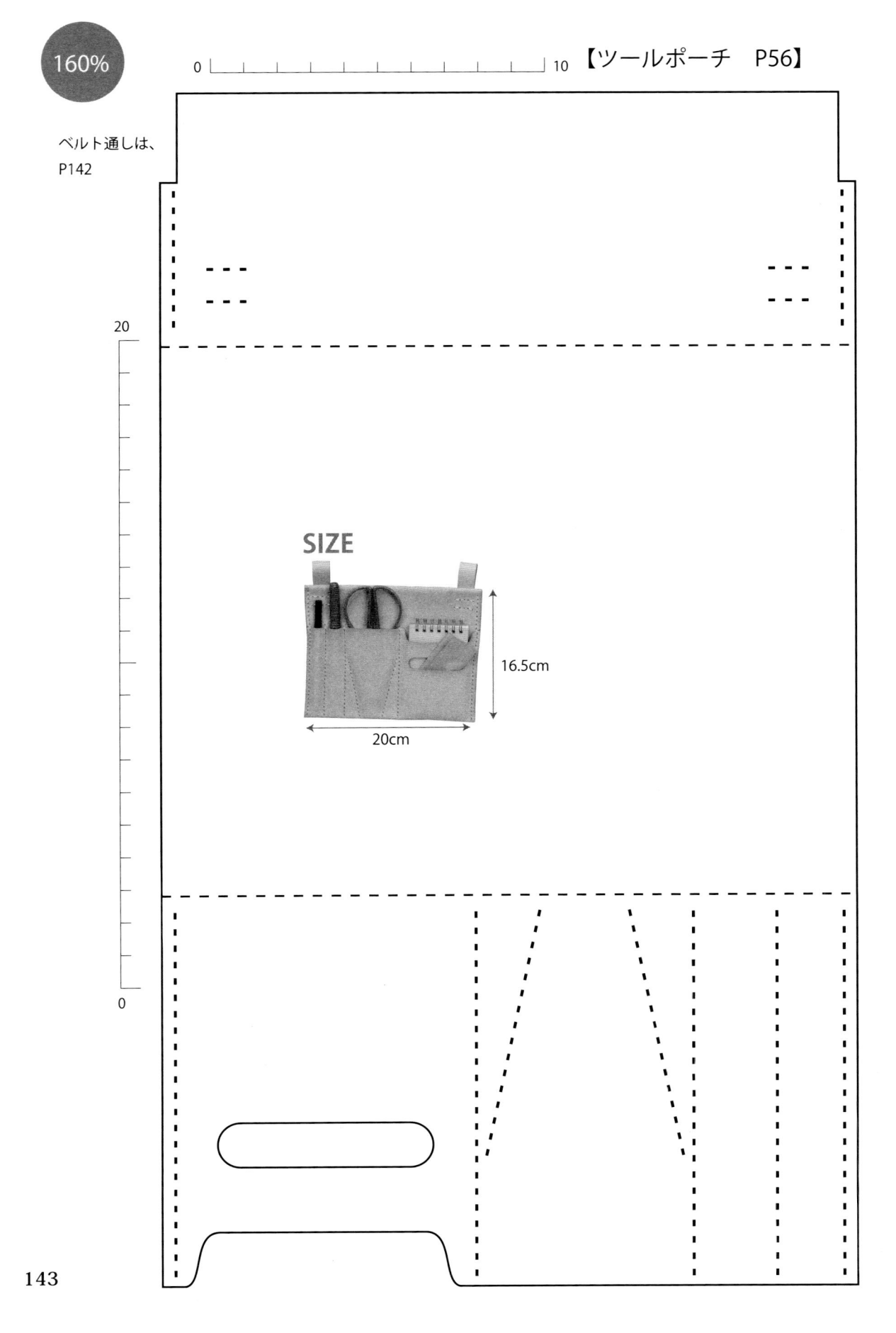

160%

0 ⊢──────────────┤ 10 【ツールポーチ　P56】

ベルト通しは、
P142

20

SIZE

16.5cm

20cm

0

143

【ファスナーつきペンケースケース　P60】

160%

【付属】
ファスナー
18.5cm

SIZE
7 cm
21cm

【平たいケース　P64】　★三角形と四角形のものは P146

SIZE
17cm
9 cm

折り線　折り線

本体

【付属】
ファスナー
30cm

ファスナー
の飾り

内側に貼る革

144

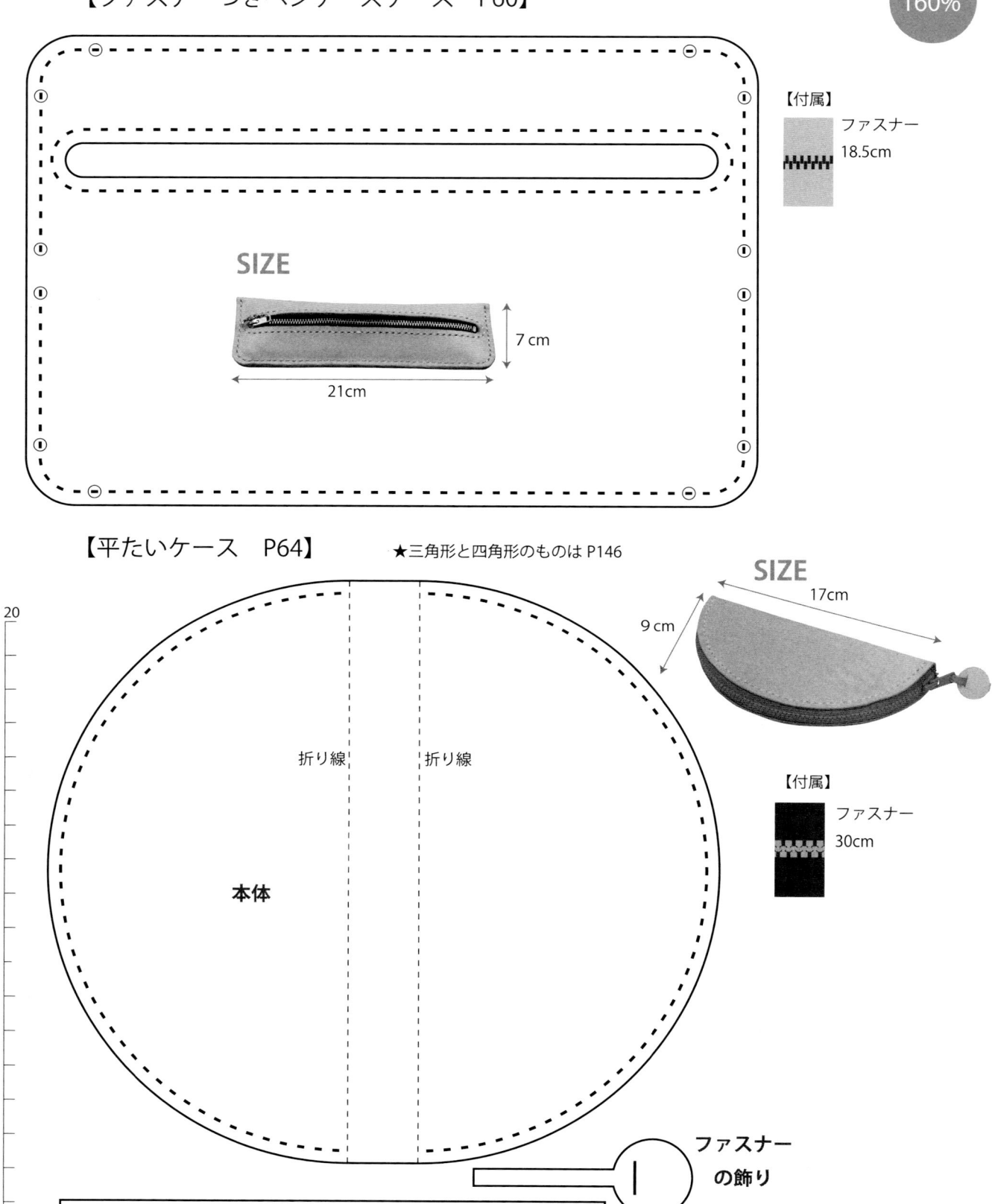

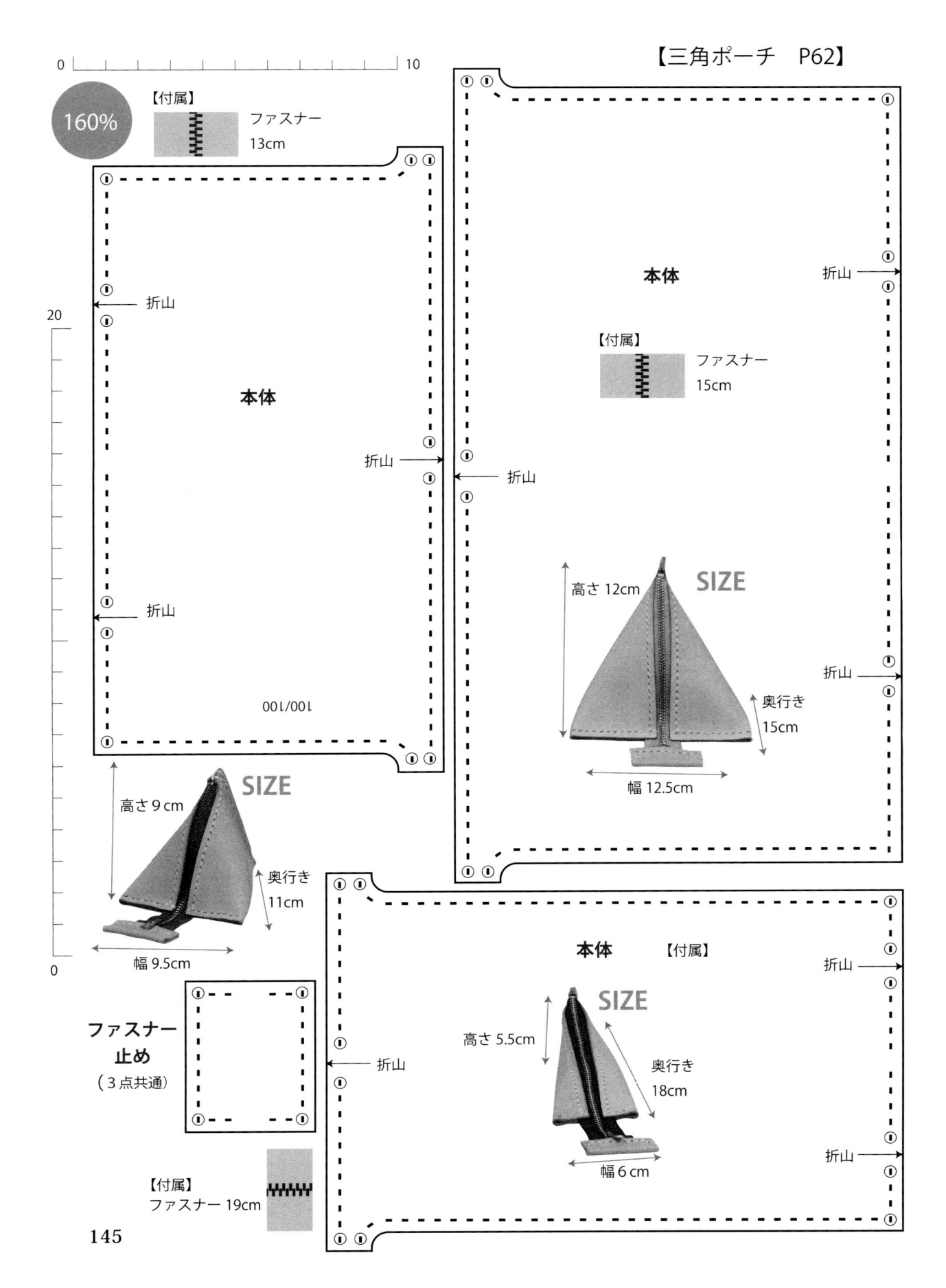

【三角ポーチ　P62】

160%

【付属】ファスナー 13cm

【付属】ファスナー 15cm

本体

折山

SIZE
高さ 12cm
奥行き 15cm
幅 12.5cm

SIZE
高さ 9 cm
奥行き 11cm
幅 9.5cm

ファスナー止め
(3点共通)

【付属】ファスナー 19cm

本体　【付属】

SIZE
高さ 5.5cm
奥行き 18cm
幅 6 cm

145

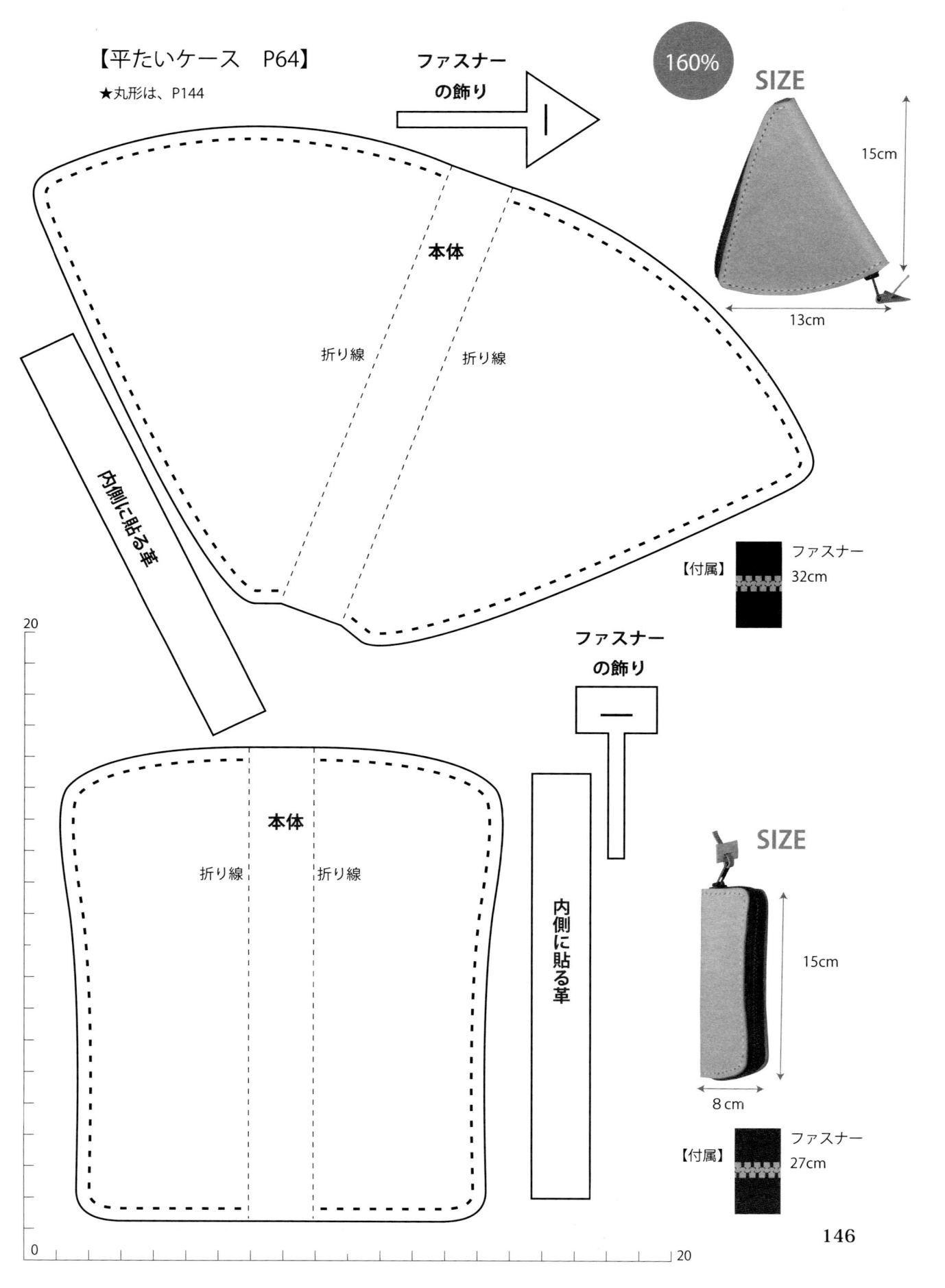

【平たいケース P64】
★丸形は、P144

ファスナーの飾り

160%

SIZE
15cm
13cm

本体
折り線　折り線

内側に貼る革

【付属】ファスナー 32cm

ファスナーの飾り

本体
折り線　折り線

内側に貼る革

SIZE
15cm
8cm

【付属】ファスナー 27cm

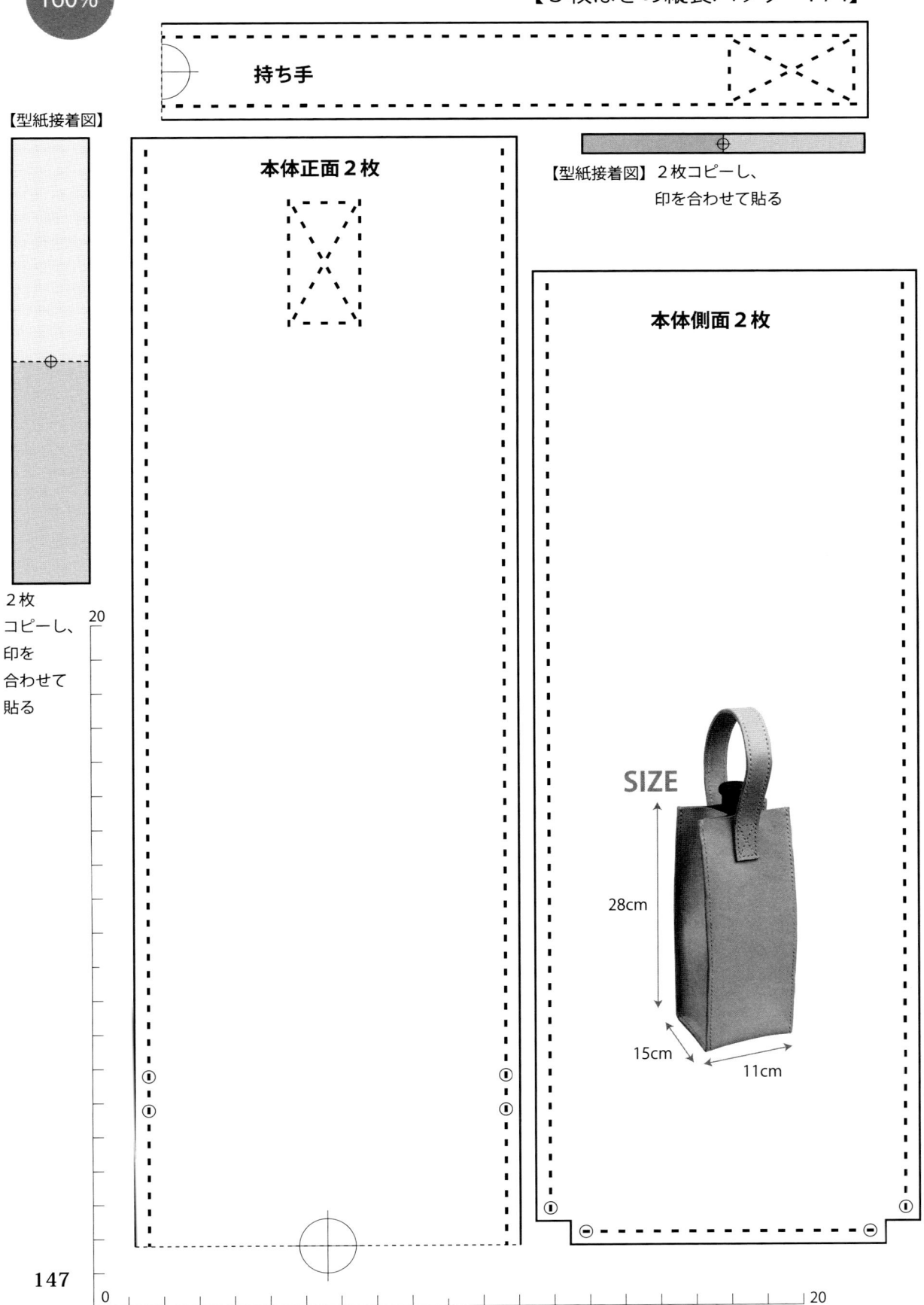

160%

【3枚はぎの縦長バッグ　P74】

持ち手

【型紙接着図】

本体正面2枚

【型紙接着図】2枚コピーし、印を合わせて貼る

2枚コピーし、印を合わせて貼る

本体側面2枚

SIZE
28cm
15cm
11cm

147

【3枚はぎのトートバッグ　P78】
持ち手の型紙は、P171

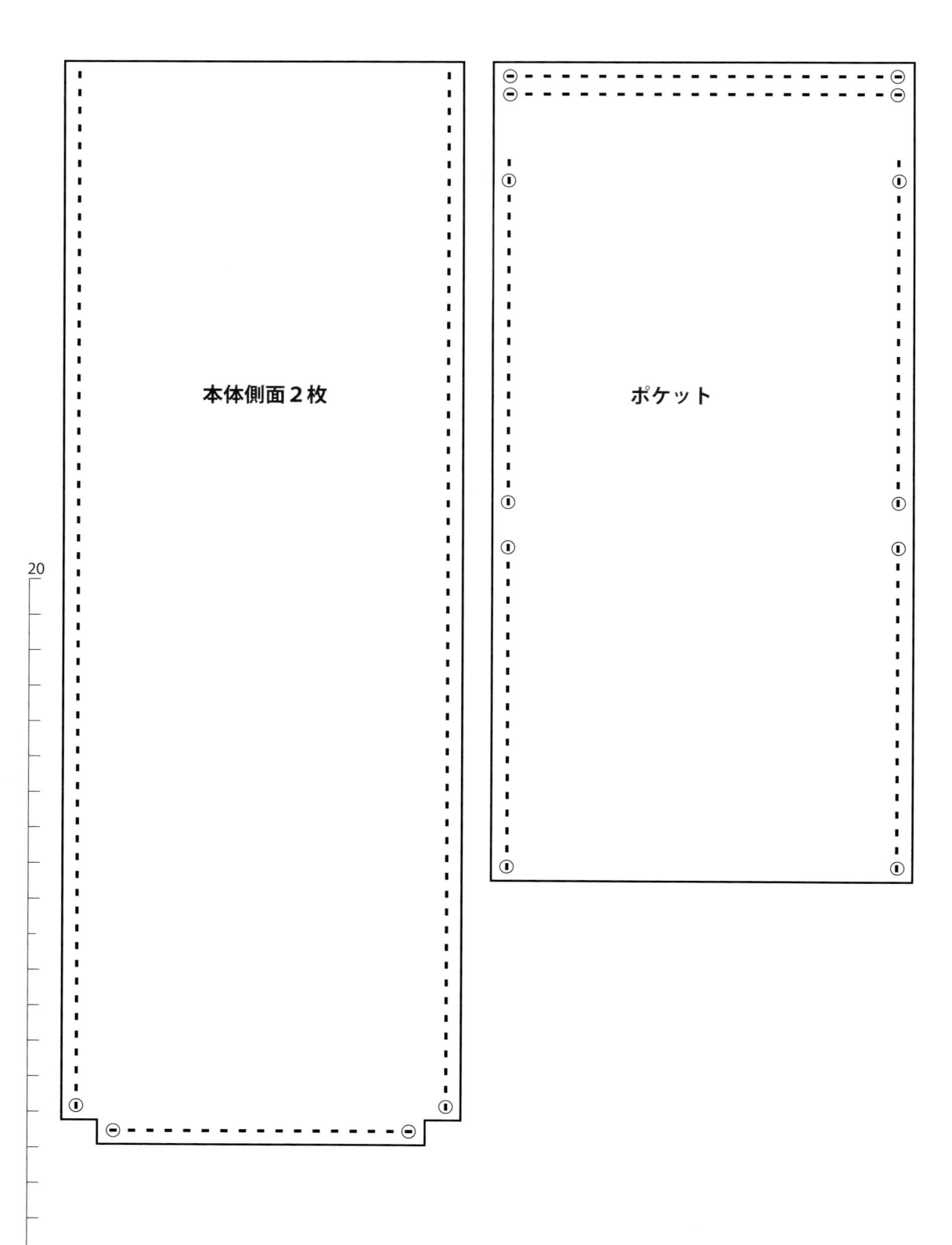

160%

本体側面2枚

ポケット

148

160%

SIZE

29.5cm
10cm
27.5cm

【型紙接着図】
本体は、Aを2枚コピーし、Bに印を合わせて貼る

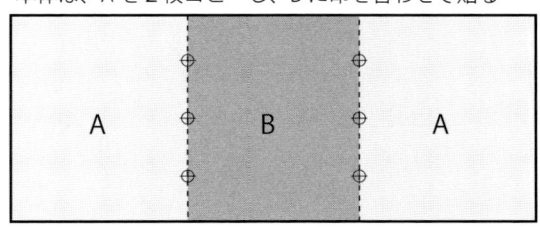

| A | B | A |

持ち手（P171）は、
4枚コピーし、
印を合わせて貼る

本体正面A2枚

ポケット用
縫い目穴
片側のみ開ける

20

149
0   20

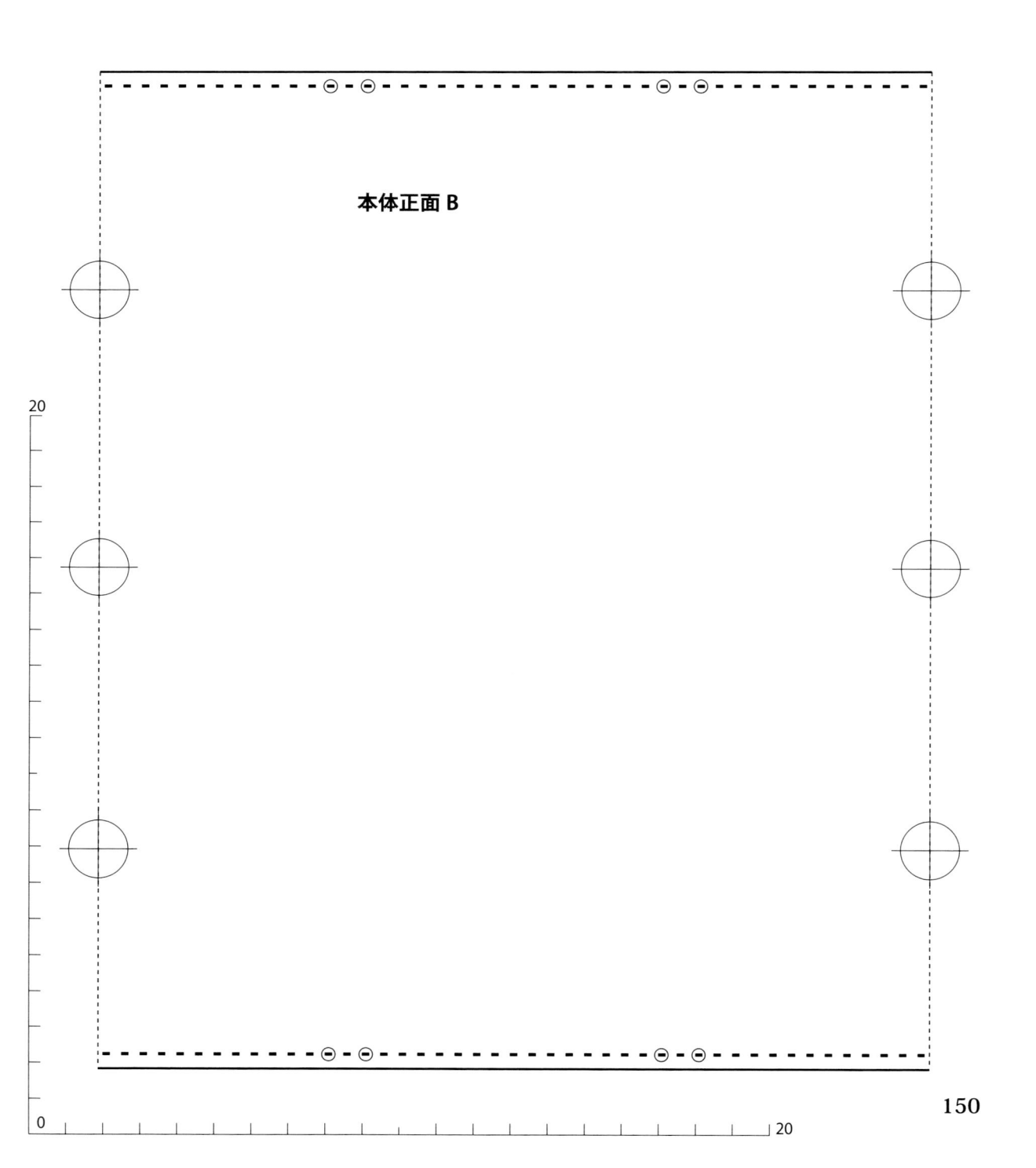

【3枚はぎのトートバッグ　P78】

160%

本体正面 B

【1枚革のファスナーつきポーチ　P80】

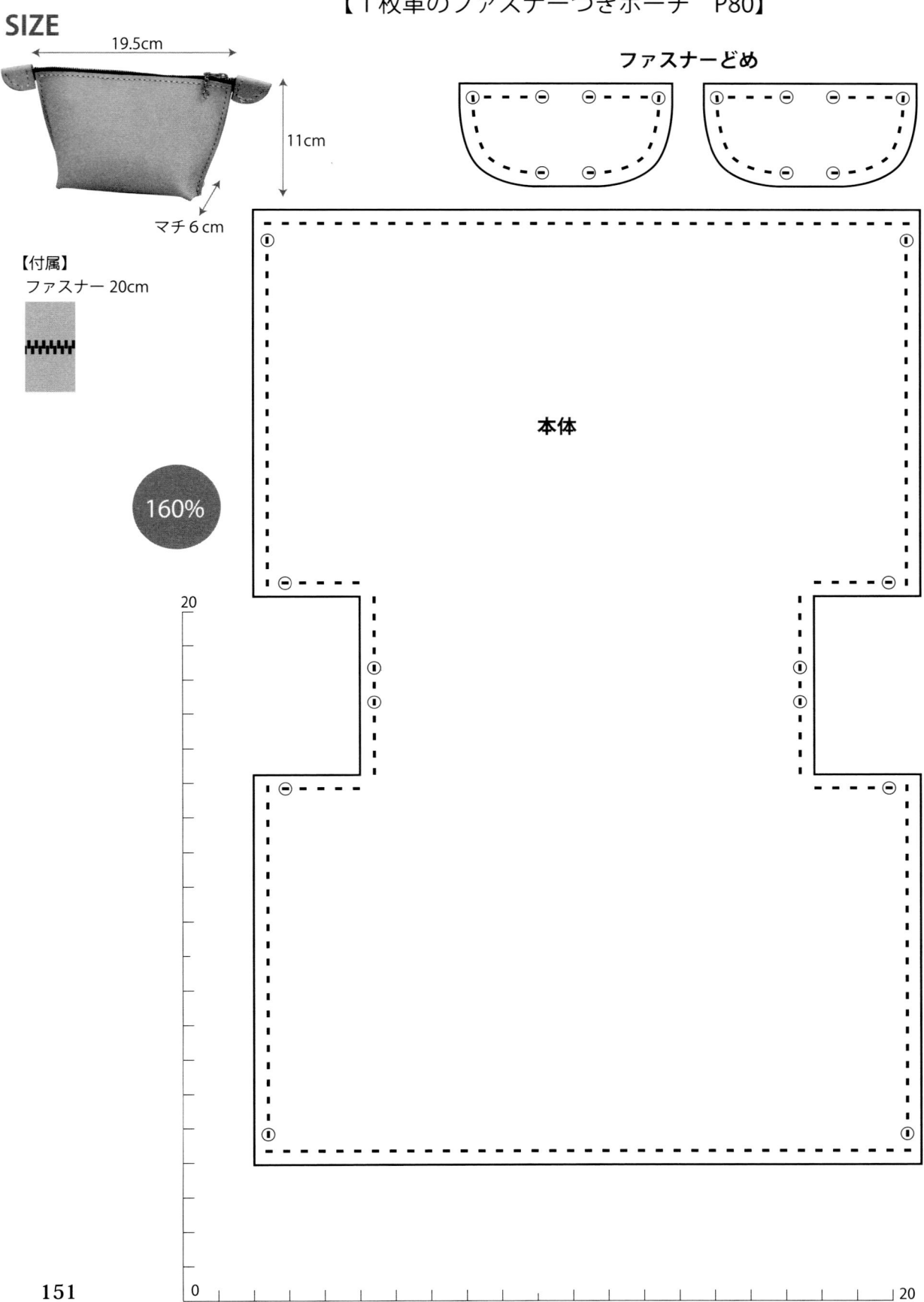

SIZE

19.5cm
11cm
マチ6cm

【付属】
ファスナー 20cm

ファスナーどめ

本体

160%

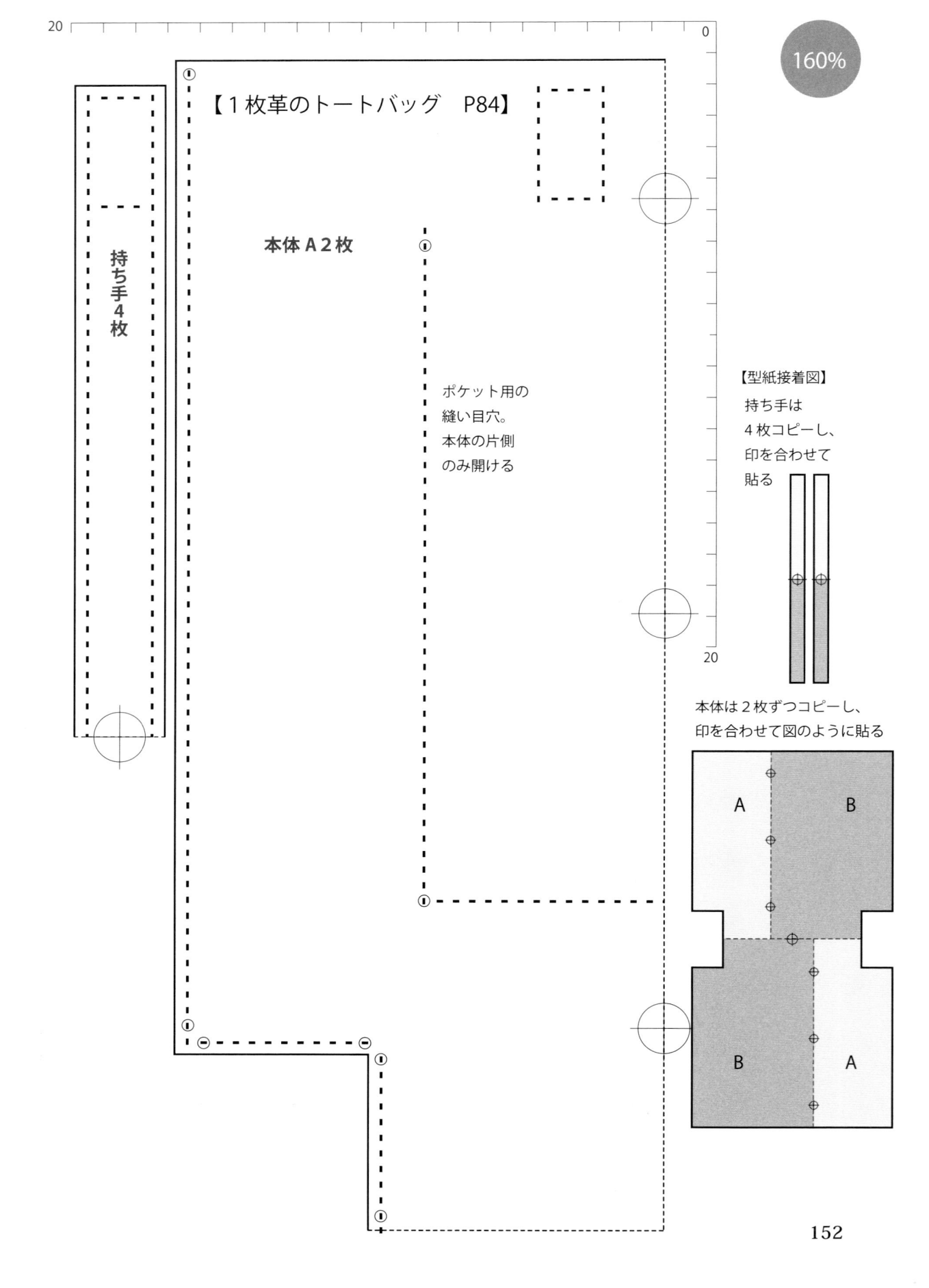

【1枚革のトートバッグ　P84】

本体A 2枚

持ち手4枚

ポケット用の
縫い目穴。
本体の片側
のみ開ける

160%

【型紙接着図】
持ち手は
4枚コピーし、
印を合わせて
貼る

本体は2枚ずつコピーし、
印を合わせて図のように貼る

| A | B |
| B | A |

本体 B 2枚

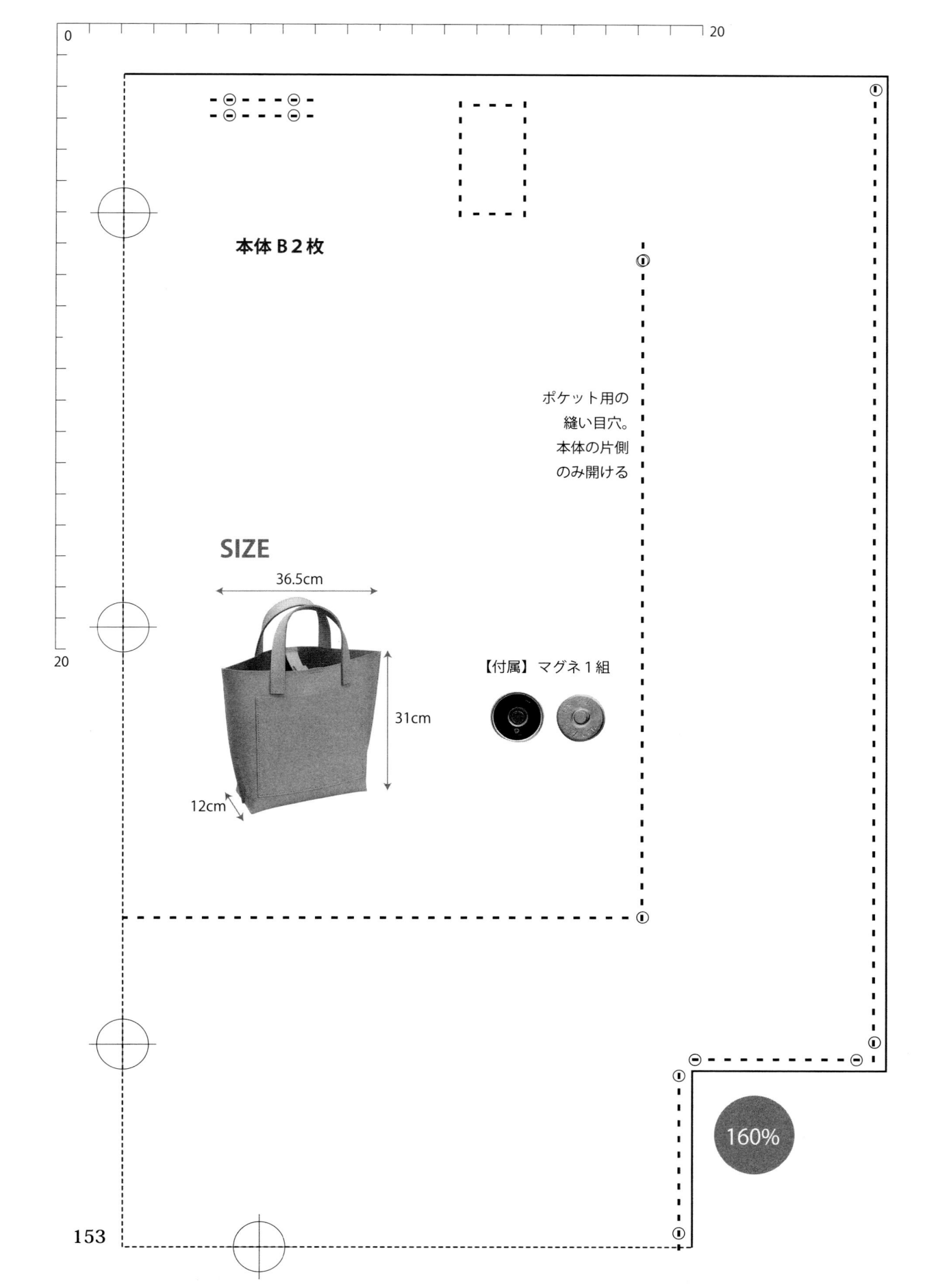

ポケット用の
縫い目穴。
本体の片側
のみ開ける

SIZE

36.5cm

31cm

12cm

【付属】マグネ1組

160%

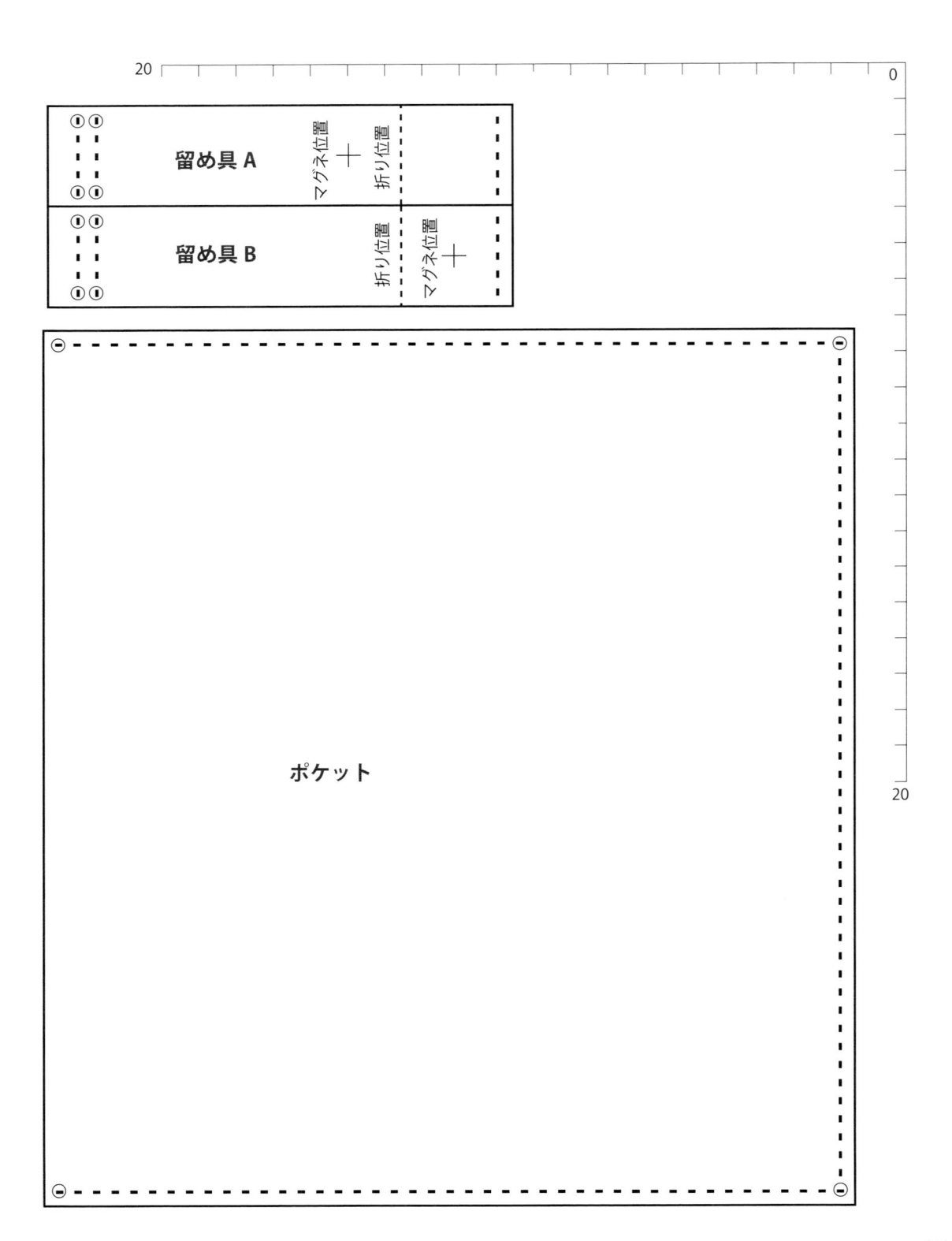

【1枚革のトートバッグ　P84】

160%

留め具A　マグネ位置　折り位置

留め具B　折り位置　マグネ位置

ポケット

154

160%

【1枚革のショルダーバッグ　P88】

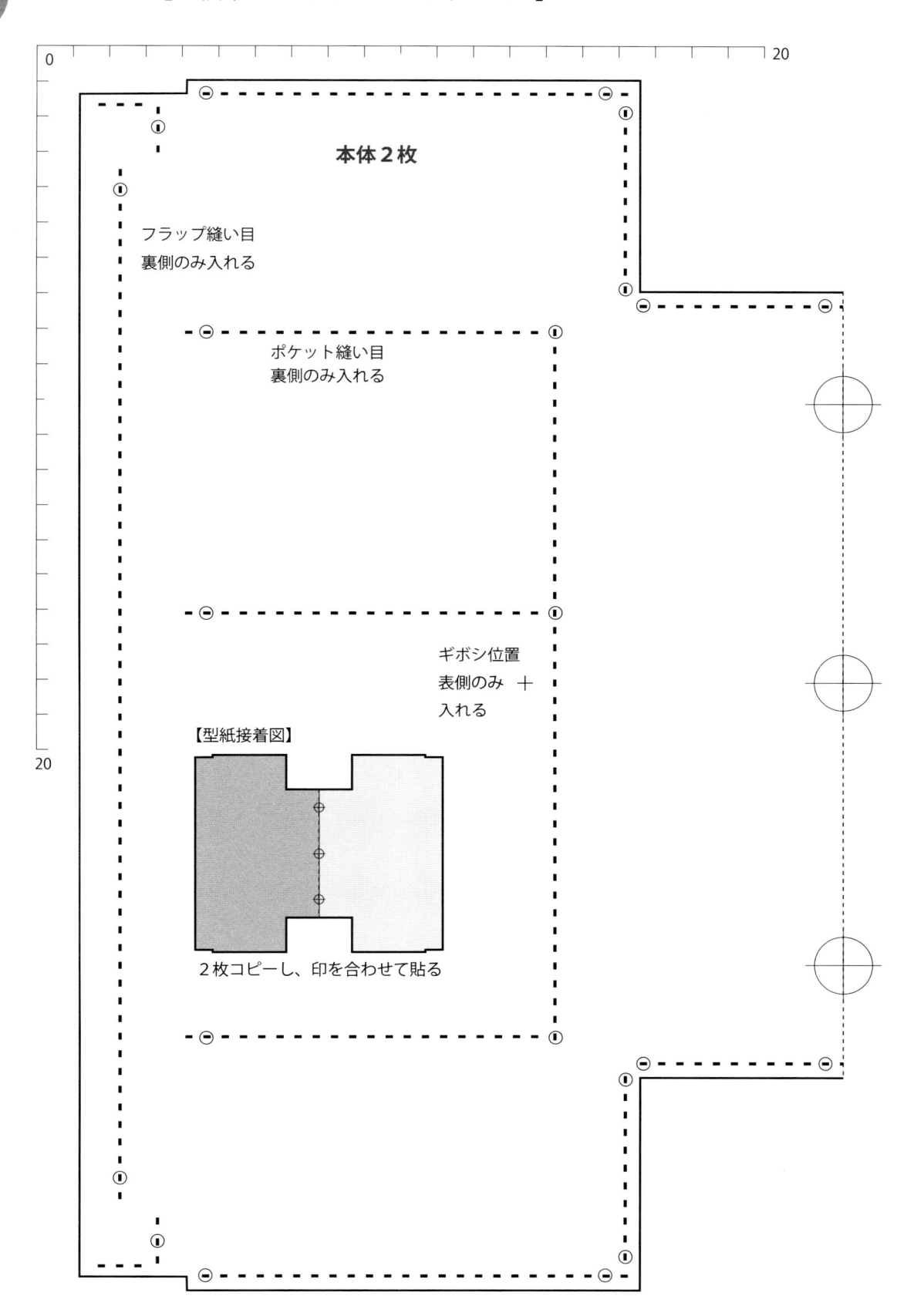

本体2枚

フラップ縫い目
裏側のみ入れる

ポケット縫い目
裏側のみ入れる

ギボシ位置
表側のみ　＋
入れる

【型紙接着図】

2枚コピーし、印を合わせて貼る

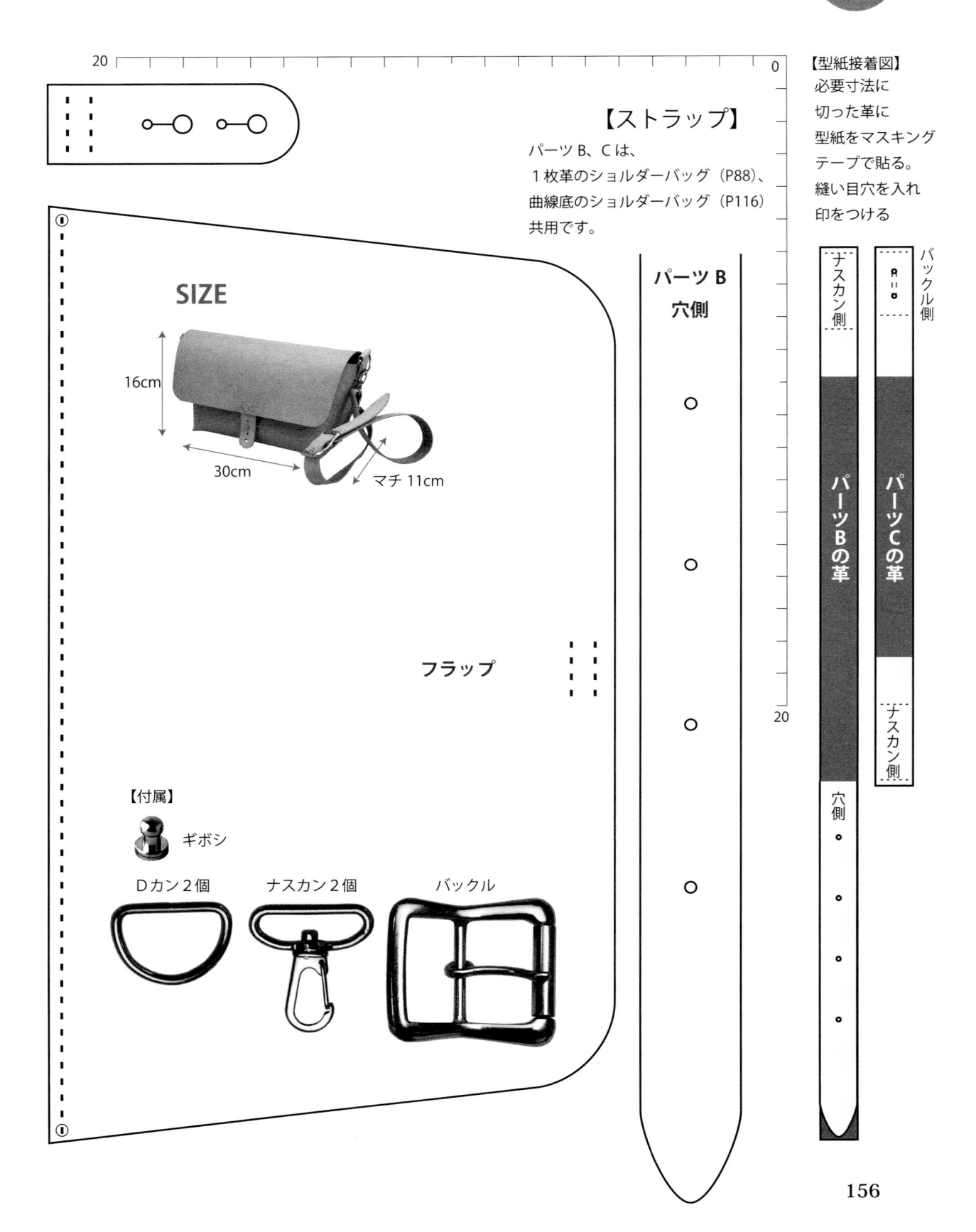

【1枚革のショルダーバッグ　P88】

160%

【ストラップ】

パーツB、Cは、
1枚革のショルダーバッグ（P88）、
曲線底のショルダーバッグ（P116）
共用です。

【型紙接着図】
必要寸法に
切った革に
型紙をマスキング
テープで貼る。
縫い目穴を入れ
印をつける

パーツB
穴側

ナスカン側 / バックル側

パーツBの革 / パーツCの革

ナスカン側

穴側

SIZE
16cm
30cm
マチ11cm

フラップ

【付属】
ギボシ

Dカン2個　ナスカン2個　バックル

156

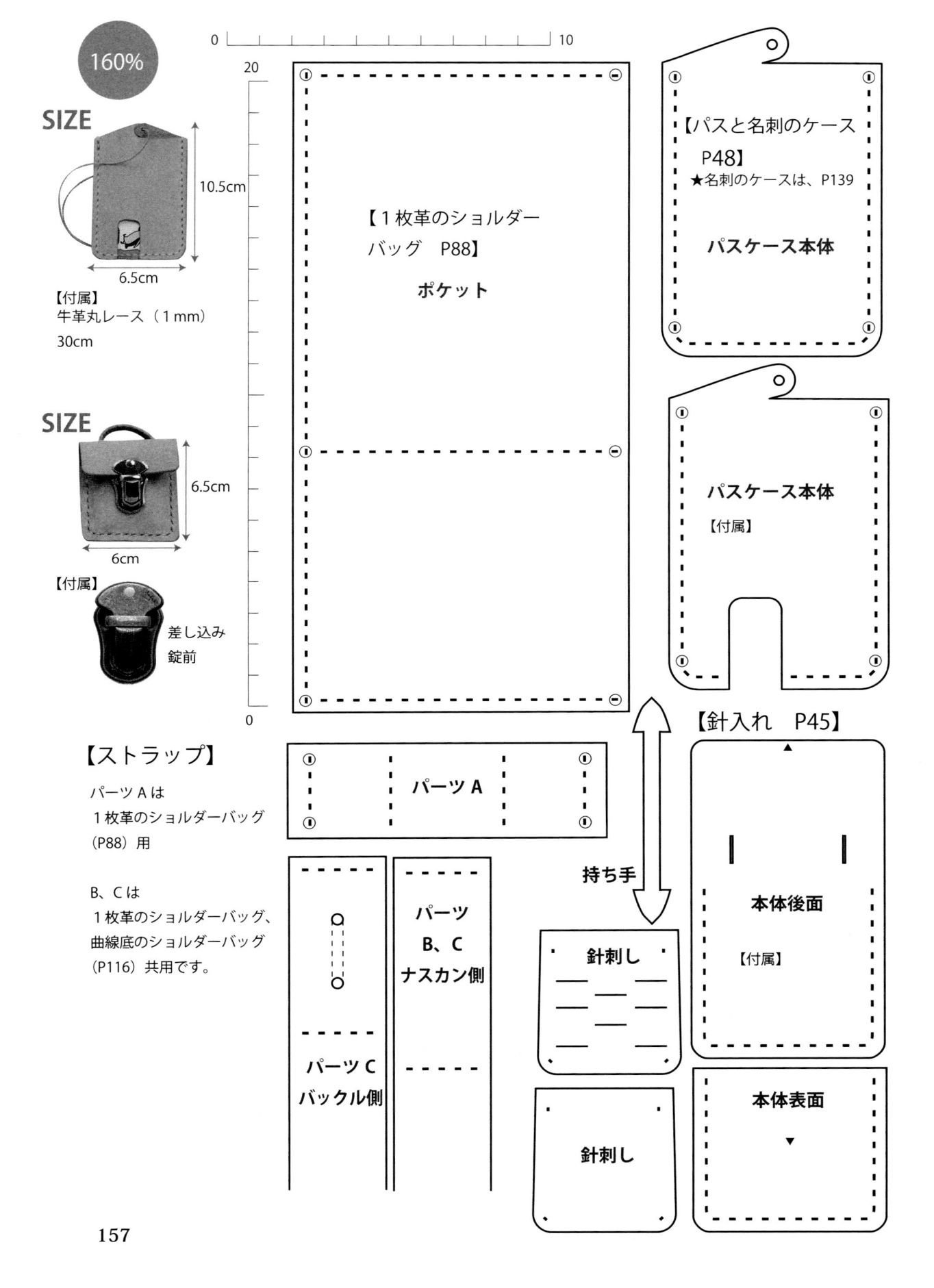

160%

SIZE

10.5cm
6.5cm

【付属】
牛革丸レース（1mm）
30cm

SIZE

6.5cm
6cm

【付属】
差し込み
錠前

【ストラップ】

パーツAは
1枚革のショルダーバッグ
（P88）用

B、Cは
1枚革のショルダーバッグ、
曲線底のショルダーバッグ
（P116）共用です。

【1枚革のショルダーバッグ　P88】

ポケット

【パスと名刺のケース　P48】

★名刺のケースは、P139

パスケース本体

パスケース本体
【付属】

パーツA

パーツ
B、C
ナスカン側

パーツC
バックル側

持ち手

針刺し

針刺し

【針入れ　P45】

本体後面
【付属】

本体表面

【1枚革のファスナーつきバッグ　P94】

SIZE
22cm
26.5cm
11cm

【型紙接着図】
持ち手は、4枚コピーし、
印を合わせて貼る

本体は、2枚ずつコピーし、
印を合わせて図のように貼る

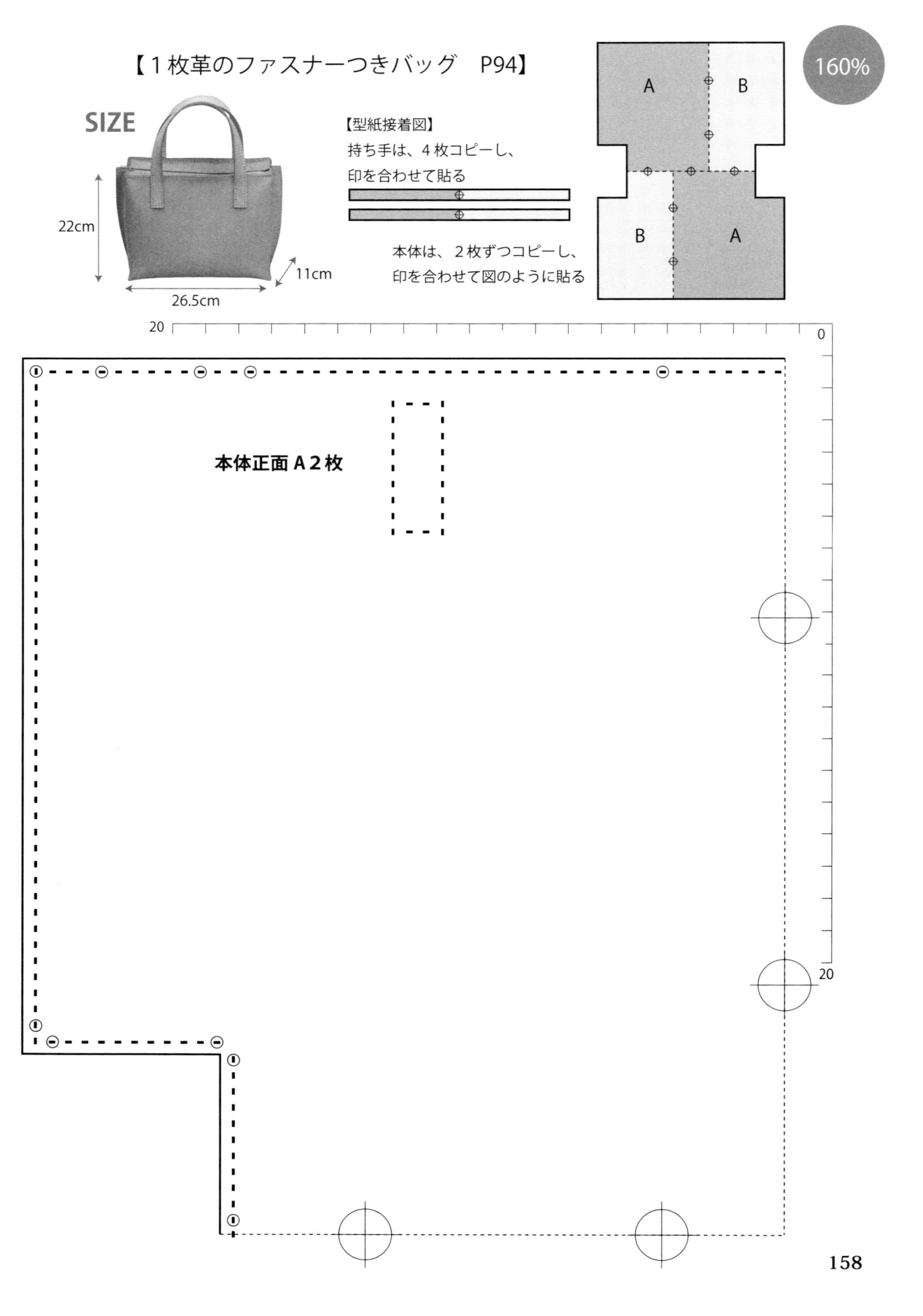

160%

A	B
B	A

本体正面Ａ2枚

158

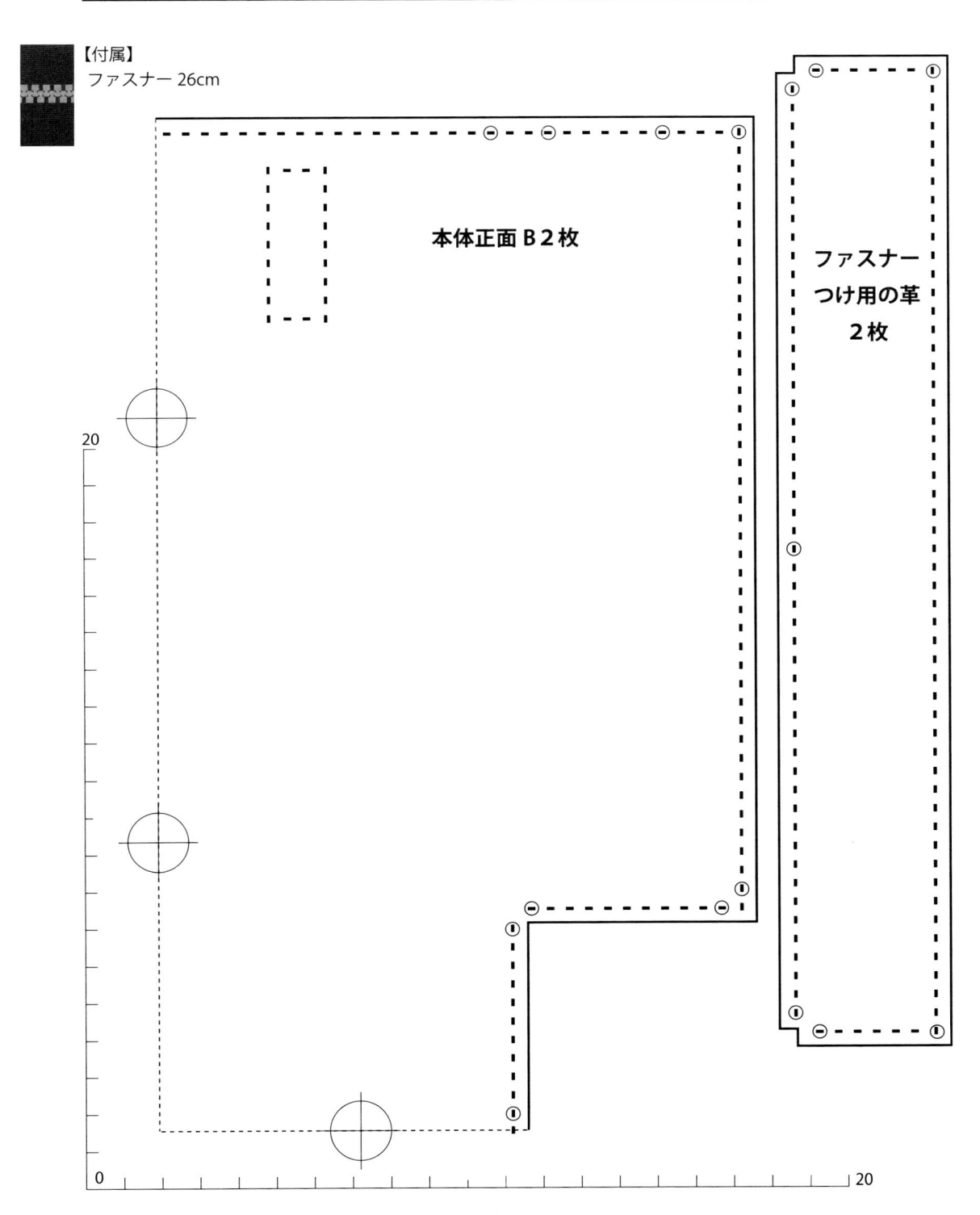

160%

持ち手4枚

【付属】
ファスナー 26cm

本体正面B2枚

ファスナー
つけ用の革
2枚

20

0 20

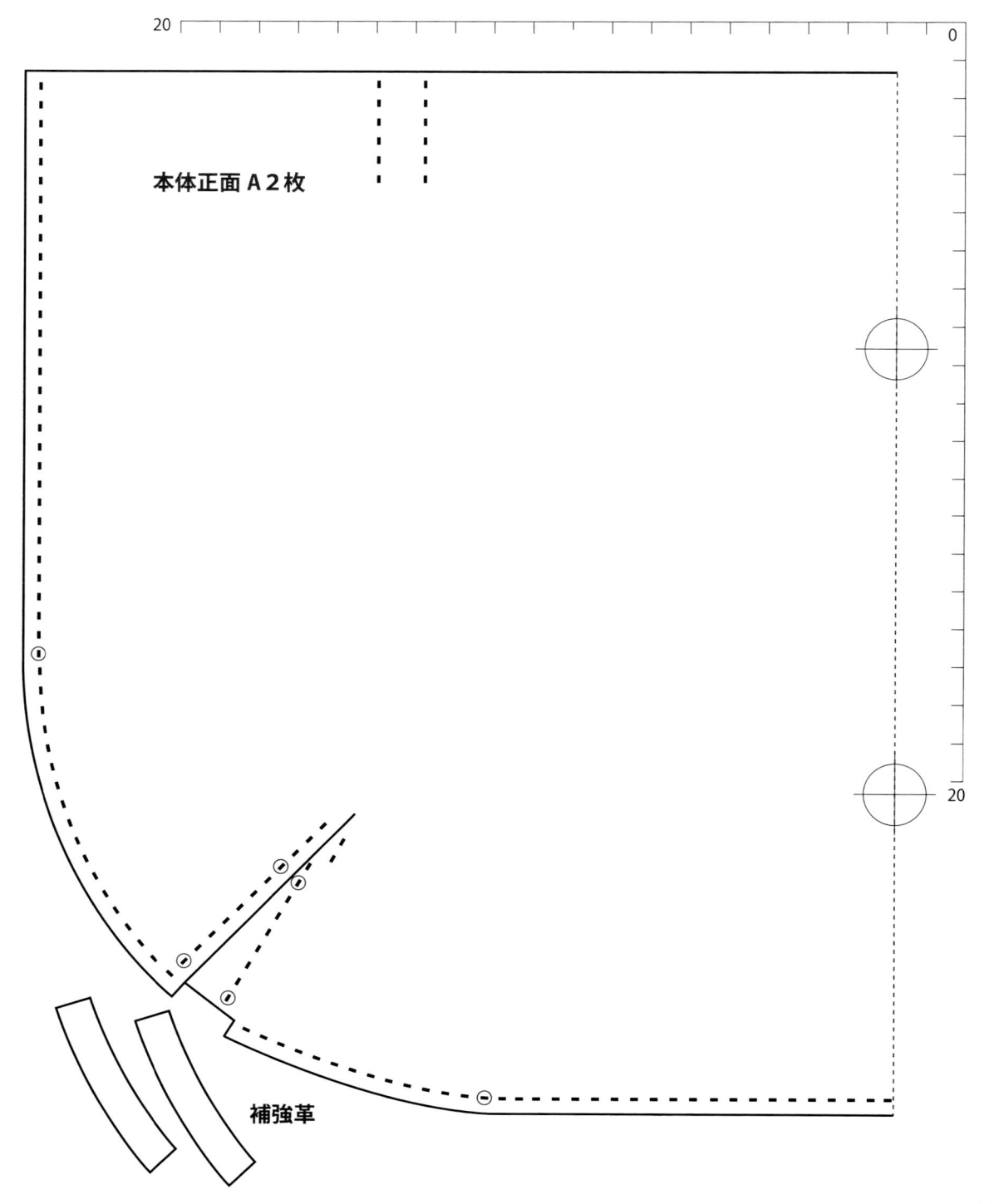

【ダーツ入りバッグ P96】

160%

20　　　　　　　　　　　　　　　　　0

本体正面A2枚

20

補強革

【型紙接着図】

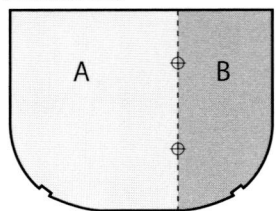

本体を印を合わせて図のように貼る。これを2枚作る

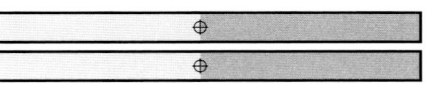

持ち手は、4枚コピーし、印を合わせて貼る

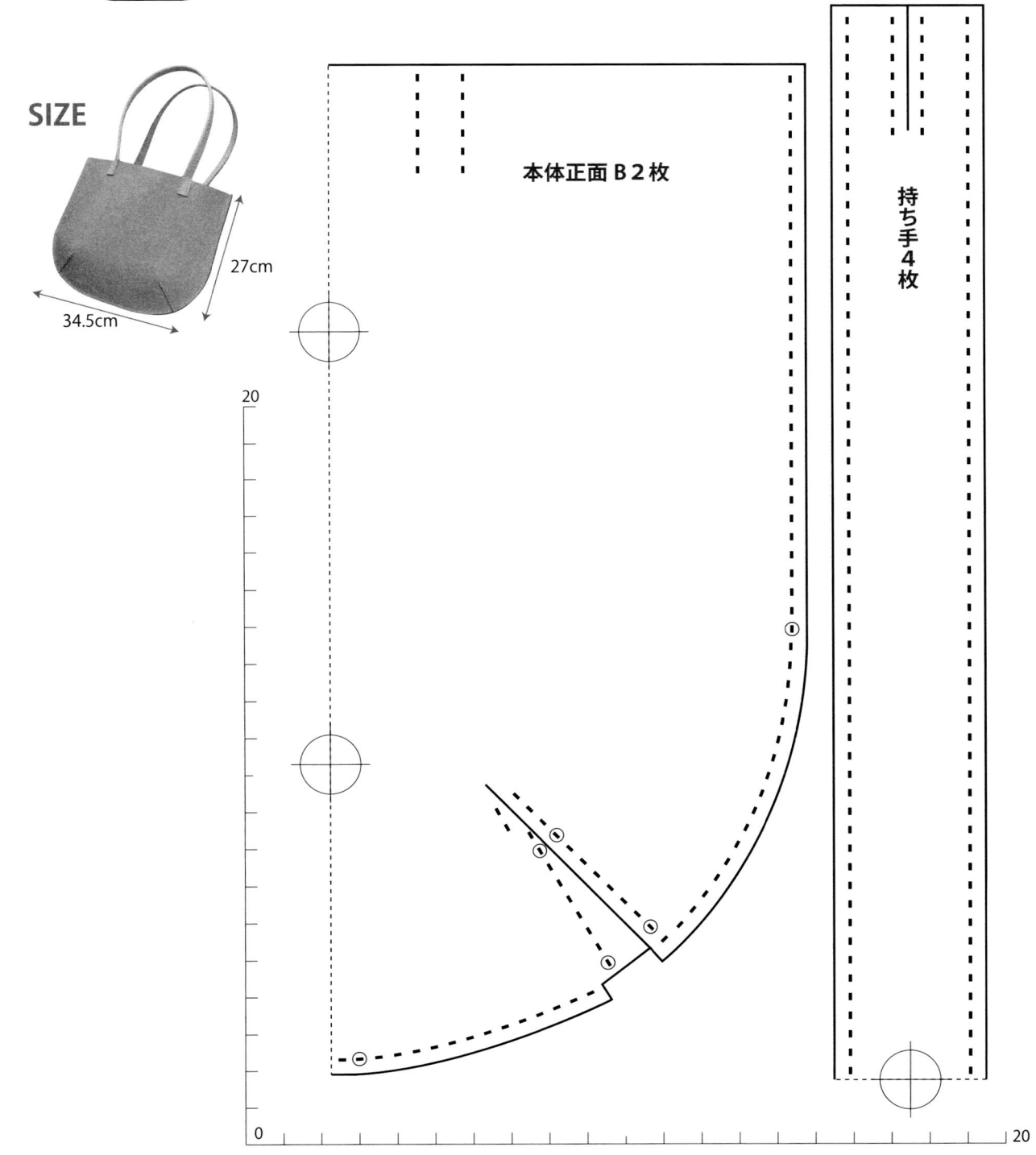

160%

SIZE
27cm
34.5cm

本体正面 B 2枚

持ち手 4枚

161

【ベルトポーチ　P102】

160%

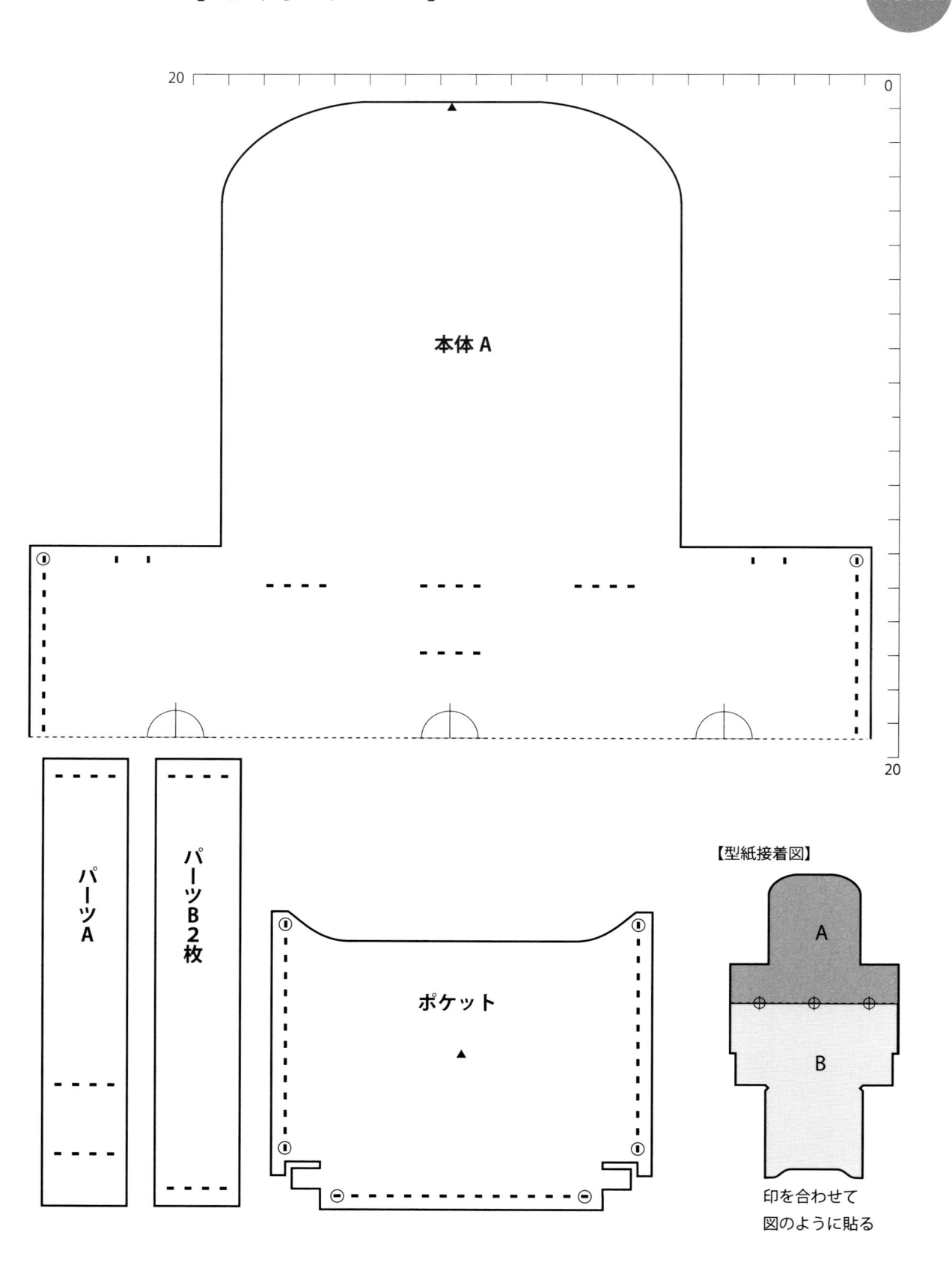

本体A

パーツA

パーツB 2枚

ポケット

【型紙接着図】

A

B

印を合わせて
図のように貼る

162

SIZE

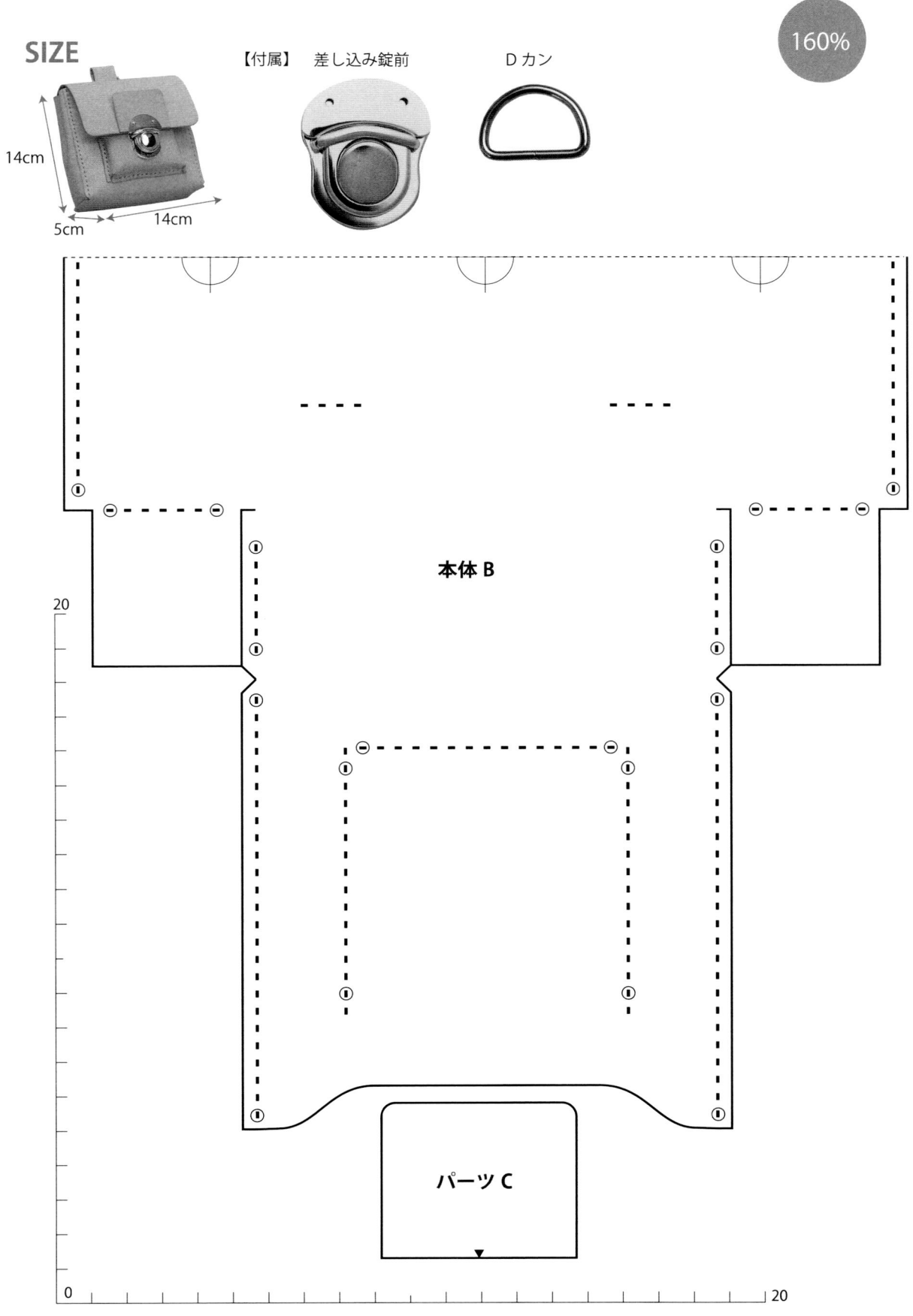

14cm × 14cm × 5cm

【付属】 差し込み錠前　Dカン

160%

本体 B

パーツ C

【ボール形バッグ P98】

★持ち手は P165

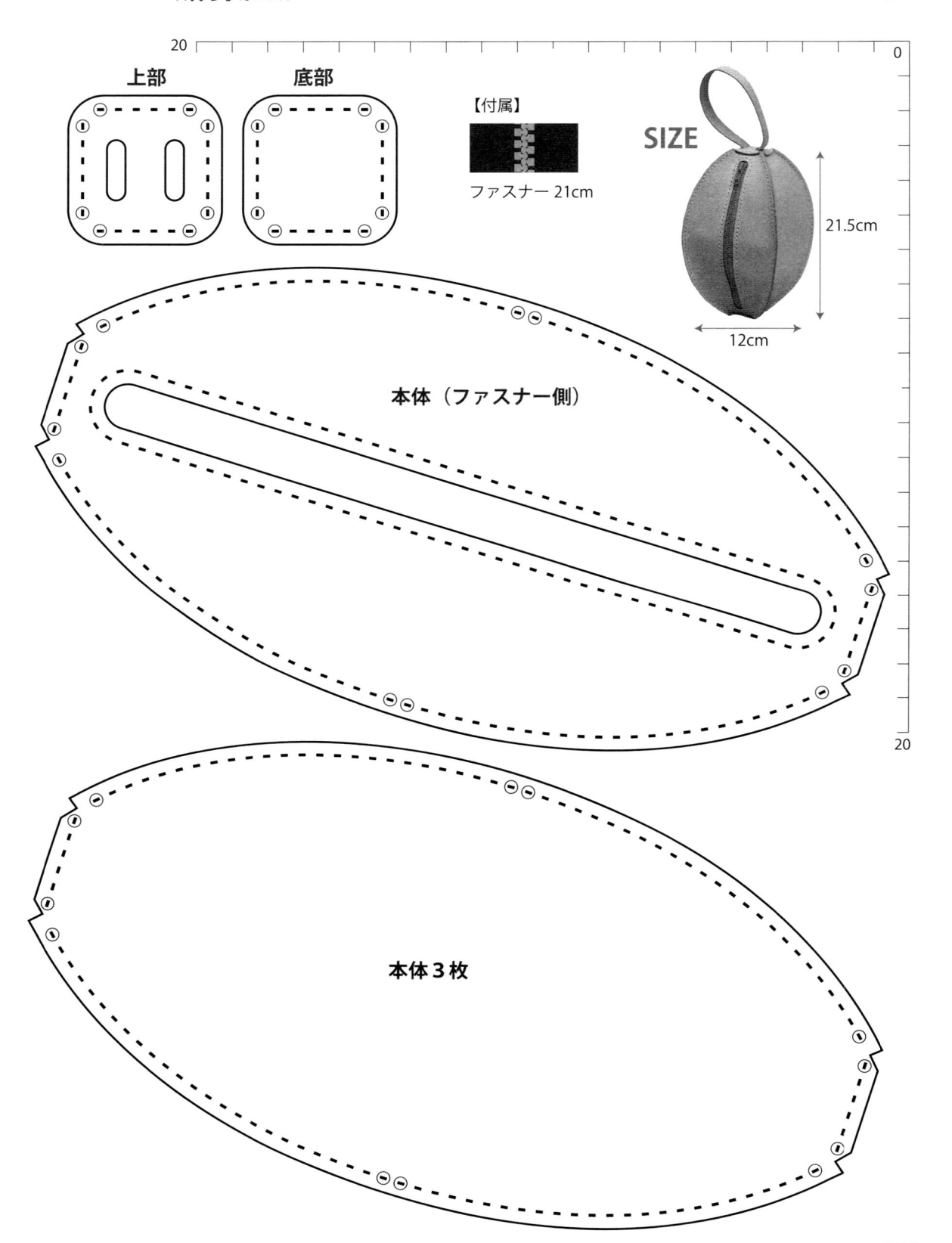

160%

上部　底部

【付属】
ファスナー 21cm

SIZE
21.5cm
12cm

本体（ファスナー側）

本体3枚

164

160%

【小さな楕円底バッグ　P106】
★持ち手は P167

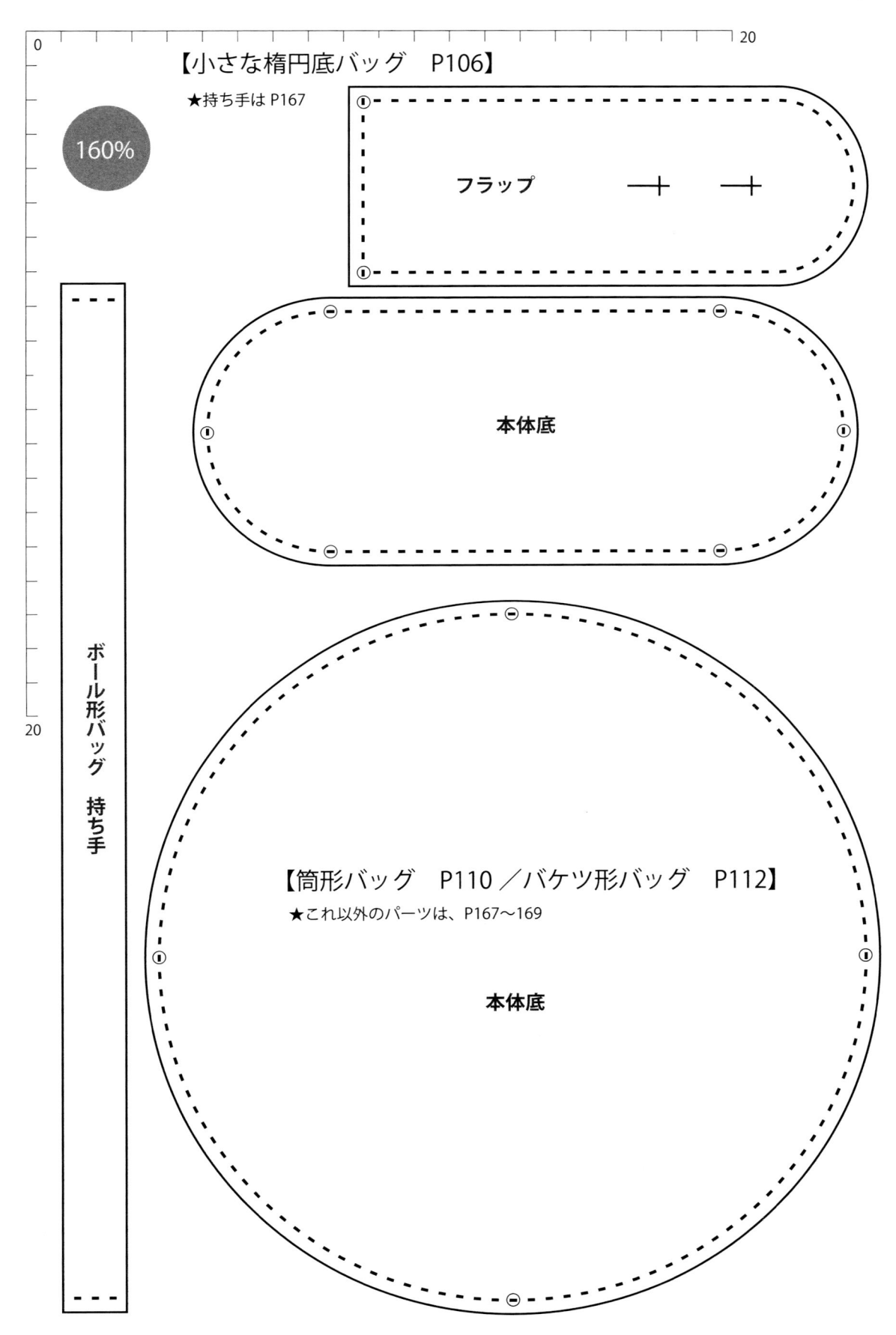

フラップ

本体底

ボール形バッグ　持ち手

【筒形バッグ　P110 ／バケツ形バッグ　P112】
★これ以外のパーツは、P167〜169

本体底

【小さな楕円底バッグ　P106】

SIZE

15cm
8cm
18.5cm

【付属】
ギボシ

160%

20

0

本体側面 A
（下部に切り込み入り）

本体側面 B

20

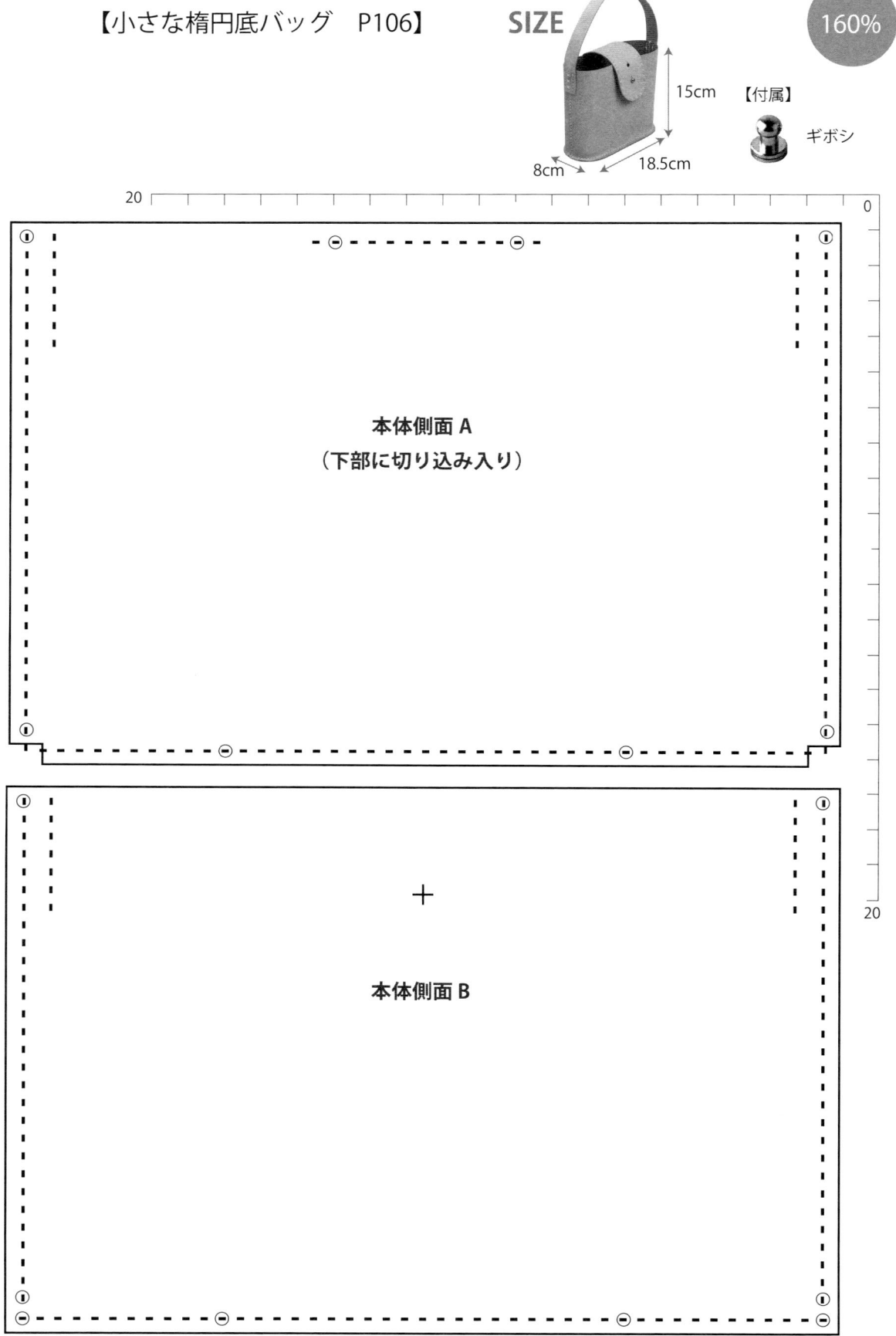

166

【小さな楕円底バッグ　P106】

【筒形バッグ　P110】

【型紙接着図】

持ち手は4枚コピーし、印を合わせて貼る

SIZE

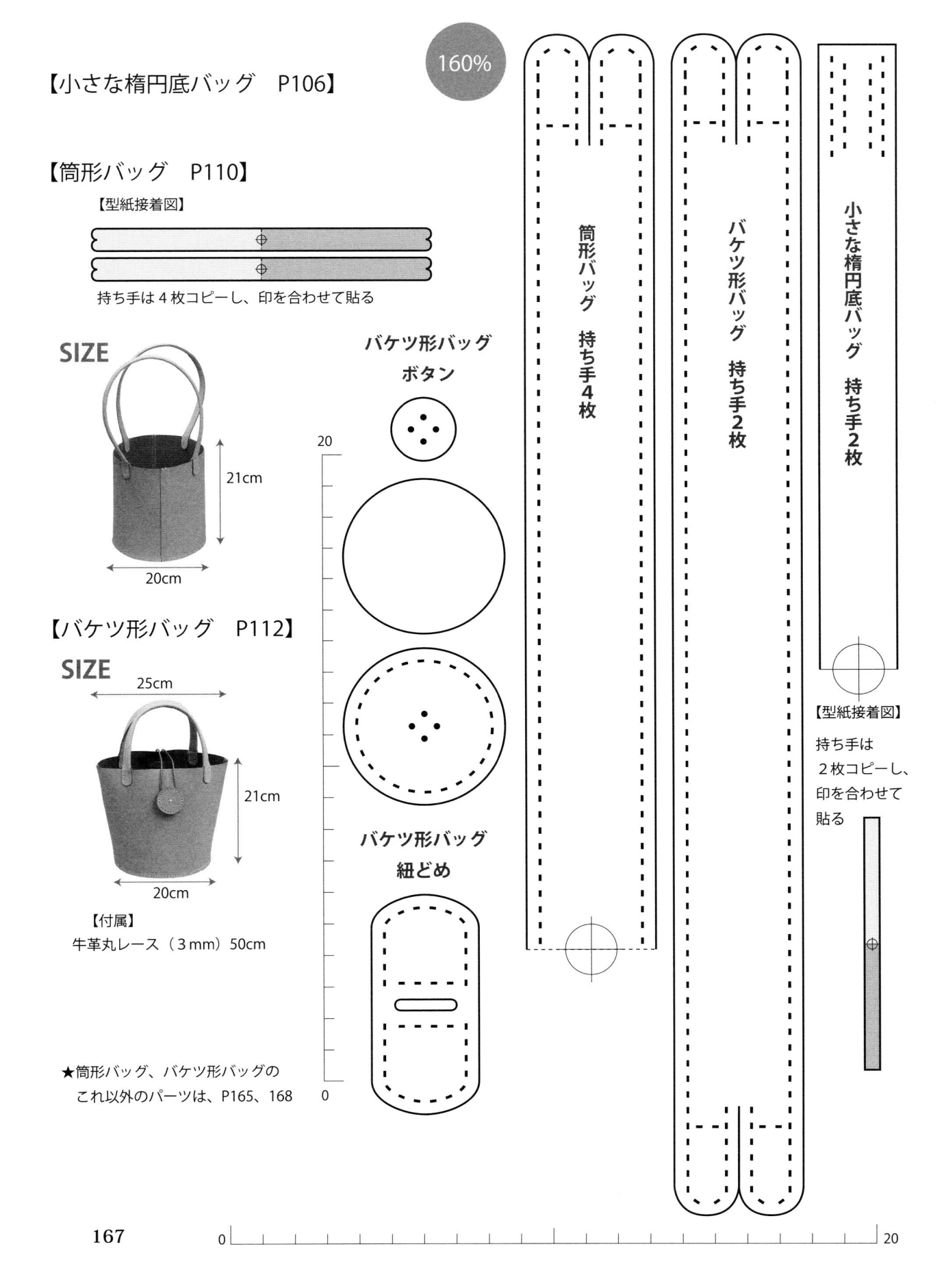

21cm
20cm

【バケツ形バッグ　P112】

SIZE

25cm
21cm
20cm

【付属】
牛革丸レース（3mm）50cm

★筒形バッグ、バケツ形バッグの
　これ以外のパーツは、P165、168

160%

バケツ形バッグ
ボタン

バケツ形バッグ
紐どめ

筒形バッグ　持ち手4枚

バケツ形バッグ　持ち手2枚

小さな楕円底バッグ　持ち手2枚

【型紙接着図】

持ち手は
2枚コピーし、
印を合わせて
貼る

【筒形バッグ　P110 バケツ形バッグ　P112】
★持ち手とパーツは P167

160%

本体側面 B

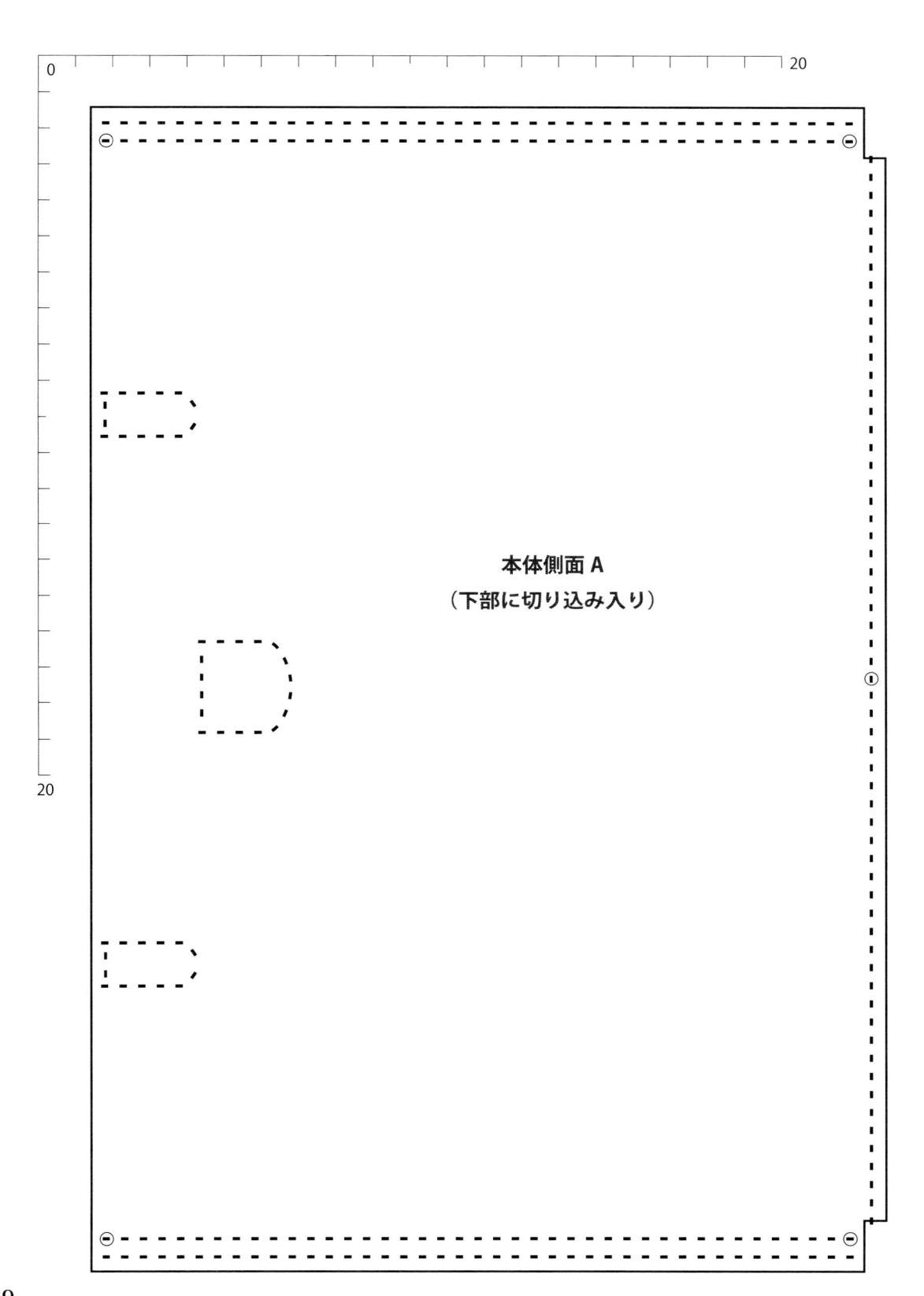

160%

本体側面 A

（下部に切り込み入り）

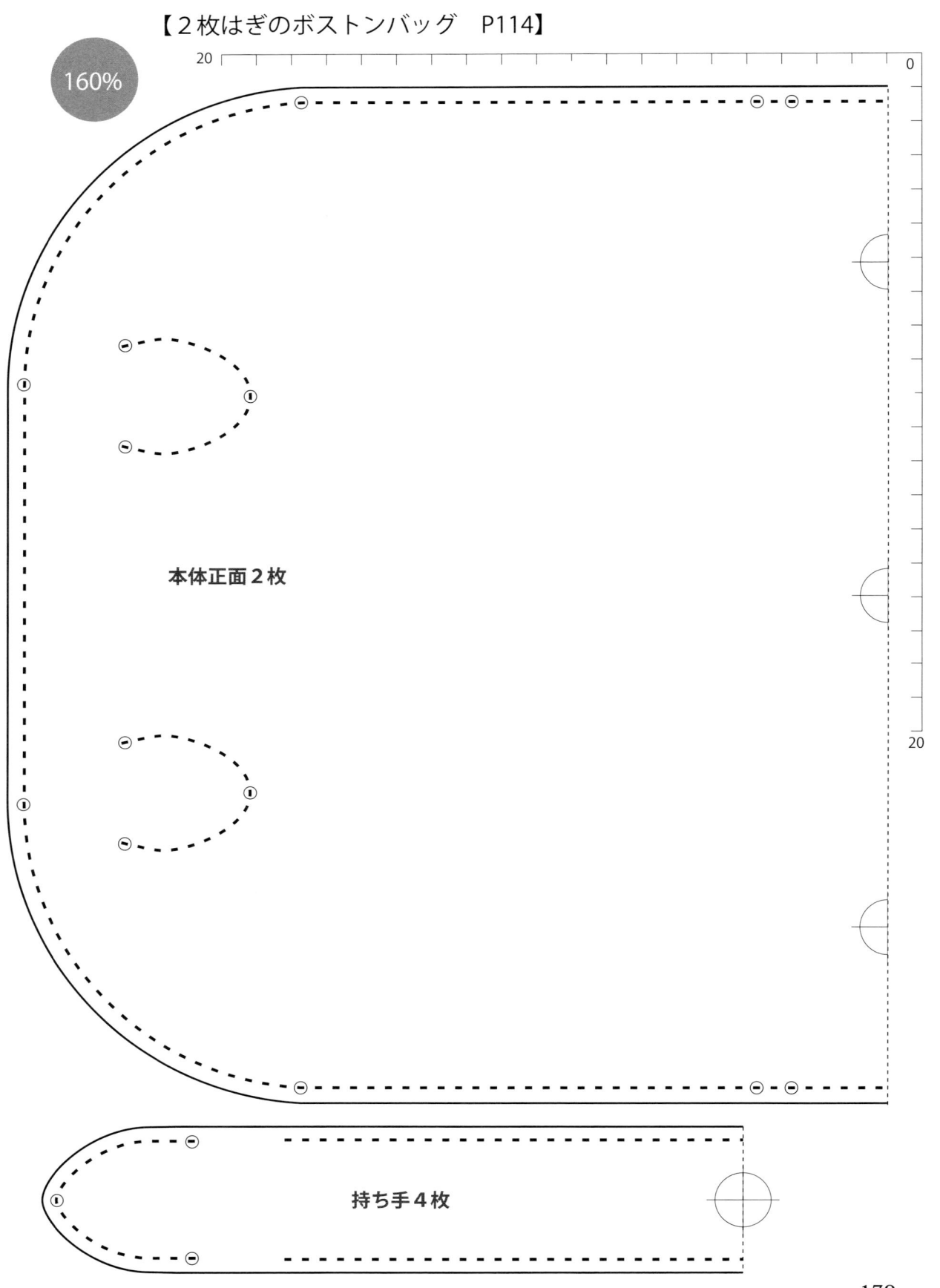

【2枚はぎのボストンバッグ　P114】

160%

本体正面2枚

持ち手4枚

170

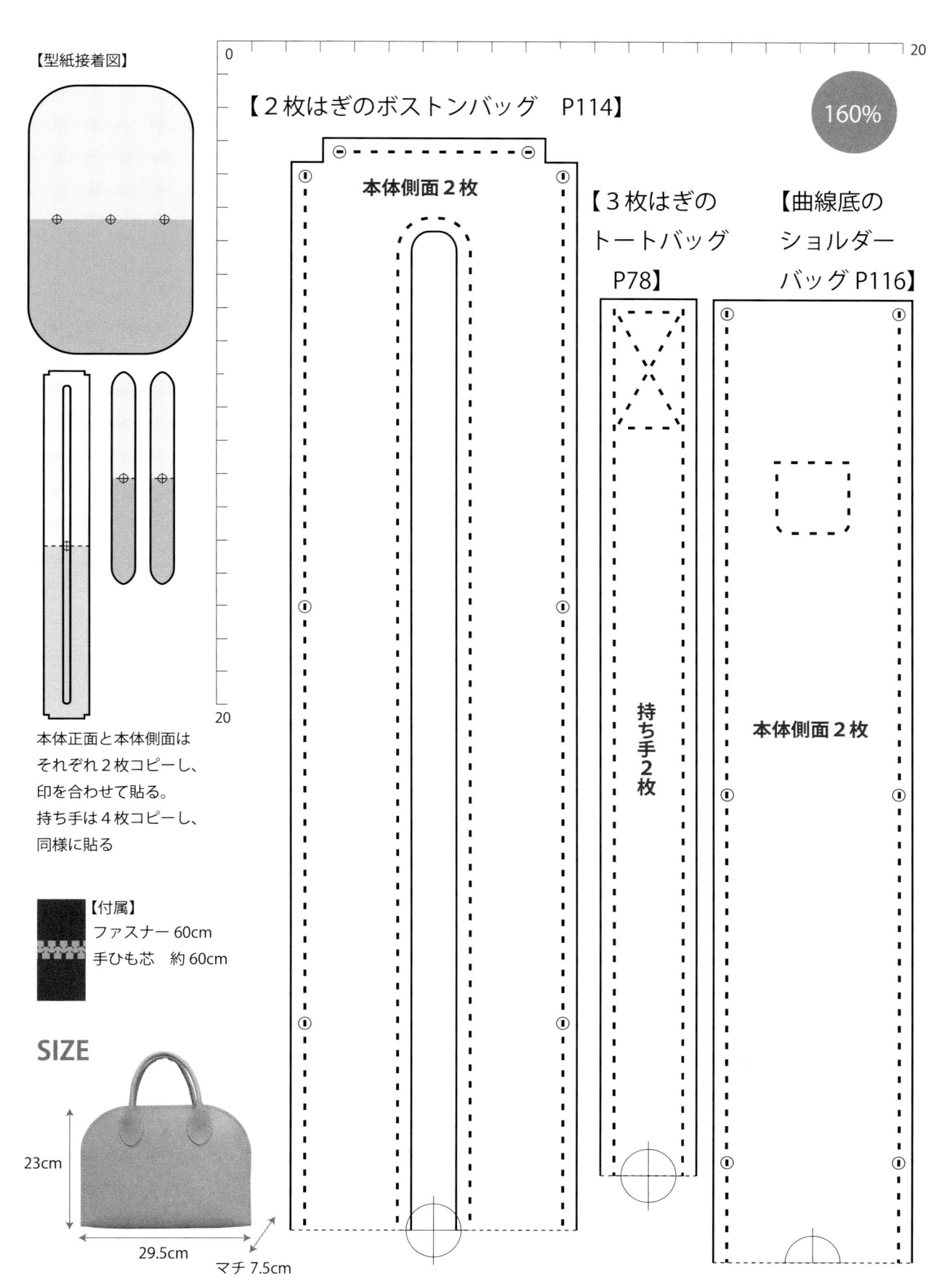

【型紙接着図】

【2枚はぎのボストンバッグ　P114】

160%

【3枚はぎのトートバッグ　P78】

【曲線底のショルダーバッグ P116】

本体側面2枚

本体側面2枚

持ち手2枚

本体正面と本体側面は
それぞれ2枚コピーし、
印を合わせて貼る。
持ち手は4枚コピーし、
同様に貼る

【付属】
ファスナー 60cm
手ひも芯　約60cm

SIZE

23cm
29.5cm
マチ 7.5cm

171

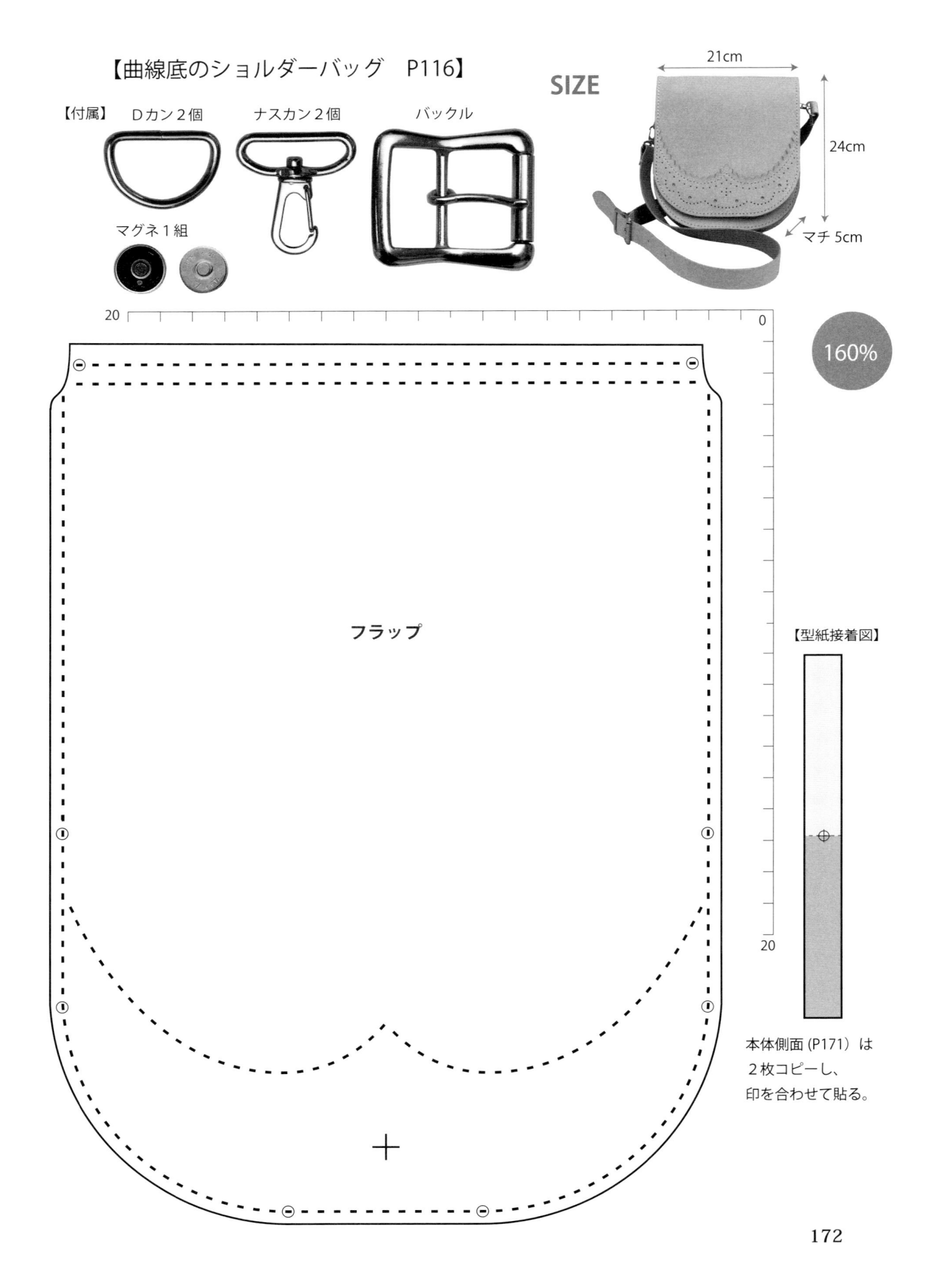

【曲線底のショルダーバッグ　P116】

【付属】
- Dカン2個
- ナスカン2個
- バックル
- マグネ1組

SIZE
- 21cm
- 24cm
- マチ 5cm

160%

フラップ

【型紙接着図】

本体側面（P171）は
2枚コピーし、
印を合わせて貼る。

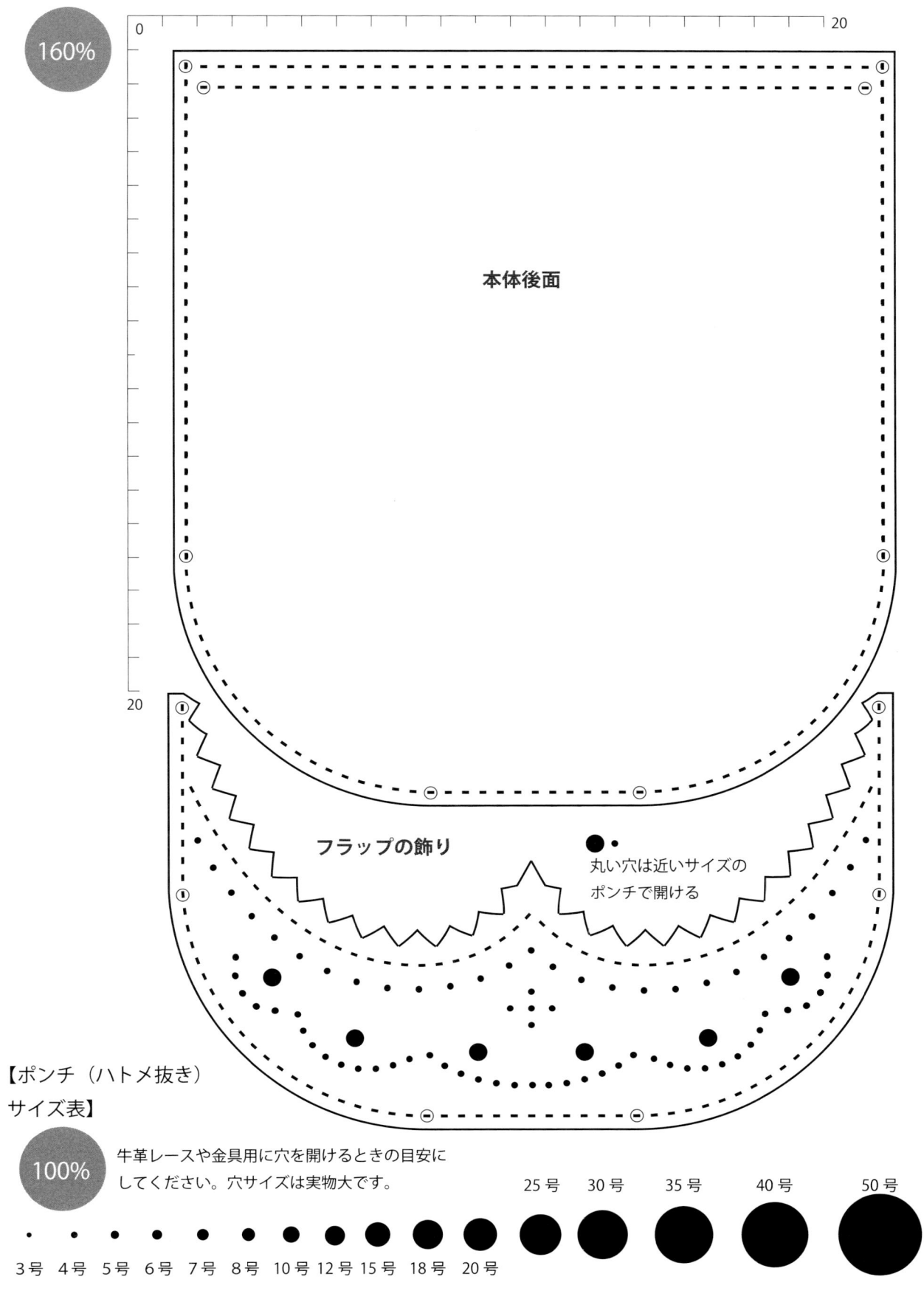

160%

本体後面

フラップの飾り

丸い穴は近いサイズの
ポンチで開ける

【ポンチ（ハトメ抜き）サイズ表】

100% 牛革レースや金具用に穴を開けるときの目安にしてください。穴サイズは実物大です。

25号 30号 35号 40号 50号

3号 4号 5号 6号 7号 8号 10号 12号 15号 18号 20号

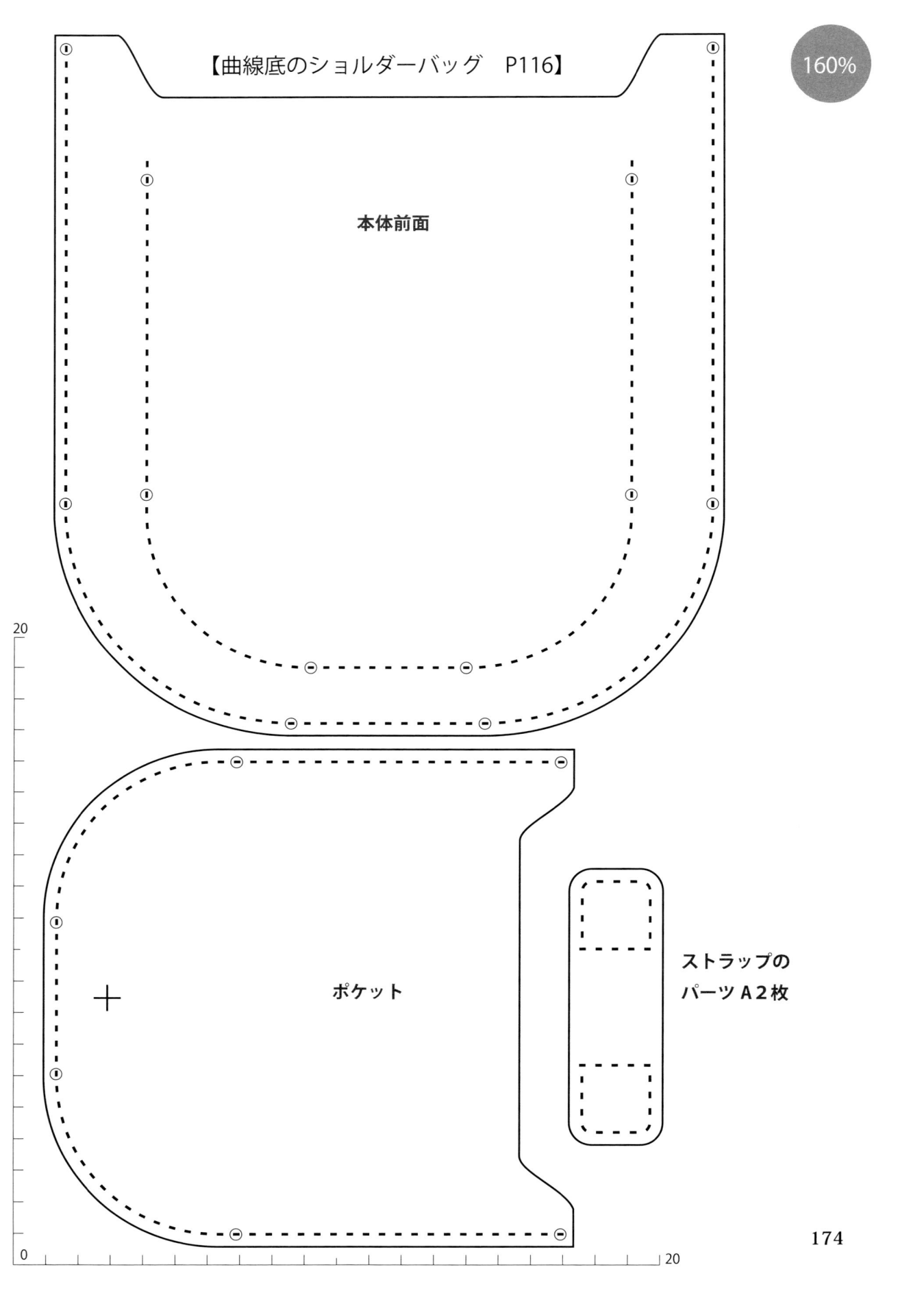

【曲線底のショルダーバッグ P116】

160%

本体前面

ポケット

ストラップの
パーツA 2枚

174

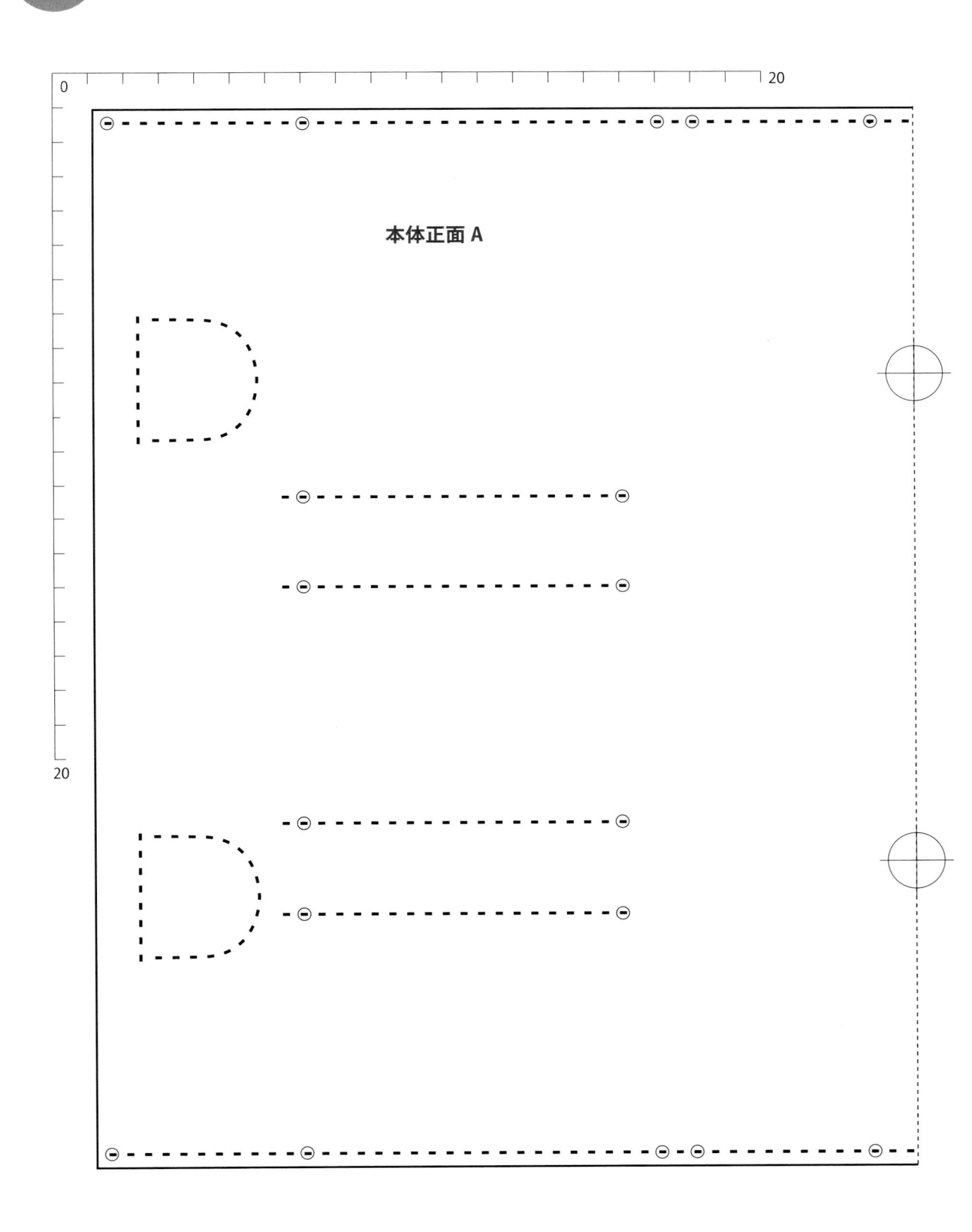

160%

【工具バッグ　P120】

本体正面 A

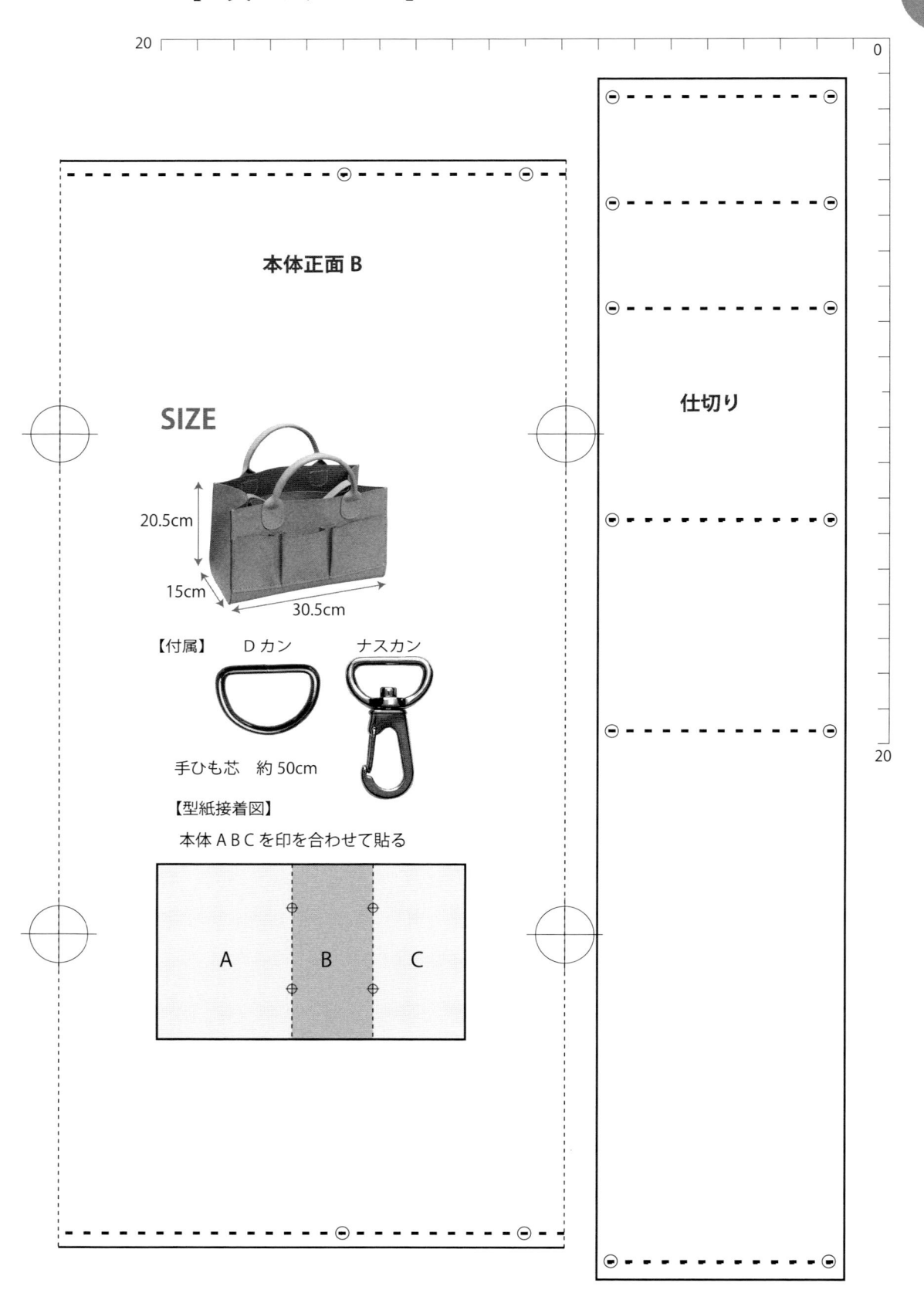

【工具バッグ　P120】　160%

本体正面 B

仕切り

SIZE
20.5cm
15cm
30.5cm

【付属】　Dカン　ナスカン

手ひも芯　約50cm

【型紙接着図】
本体ＡＢＣを印を合わせて貼る

A　B　C

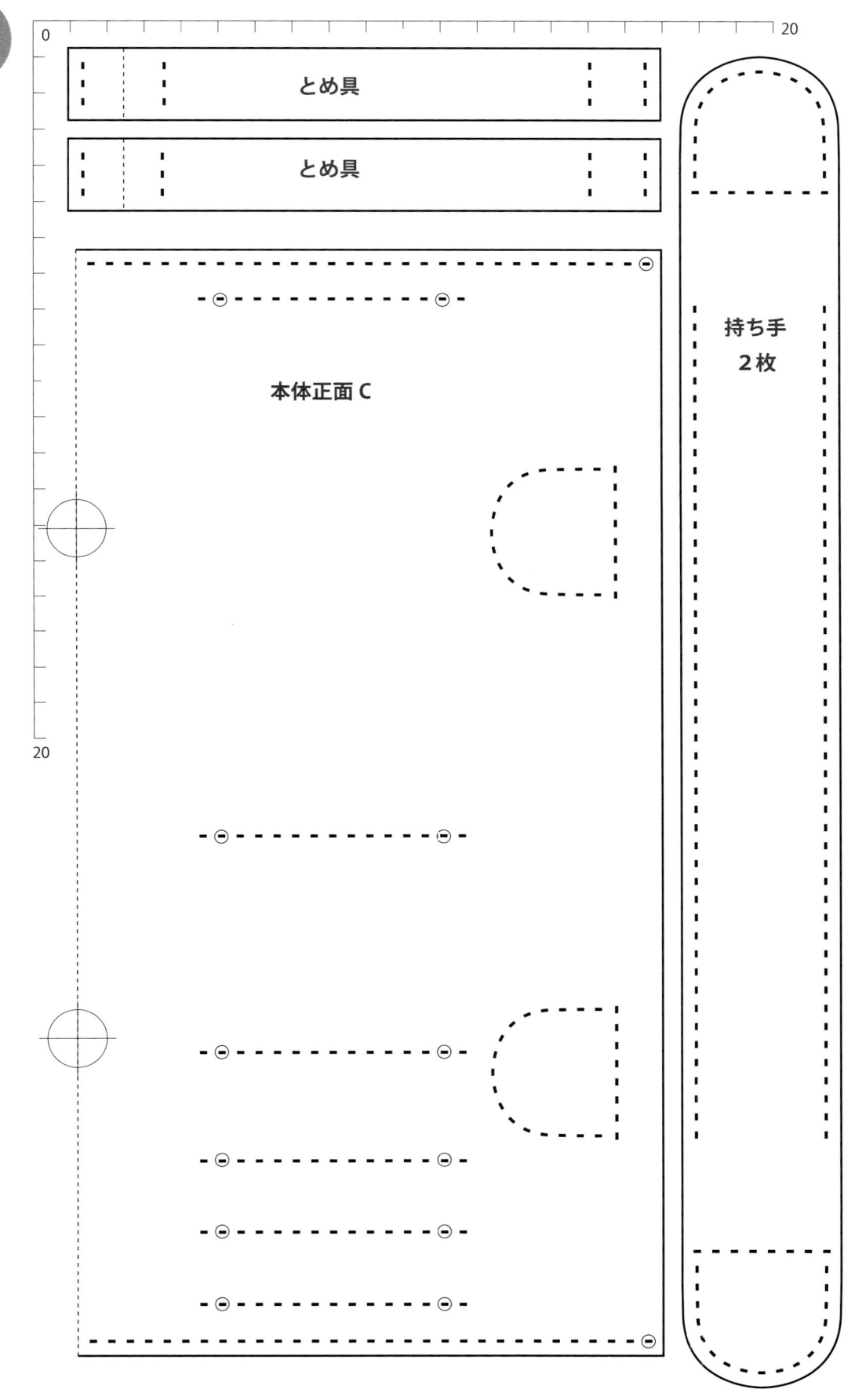

160%

とめ具

とめ具

本体正面 C

持ち手
2枚

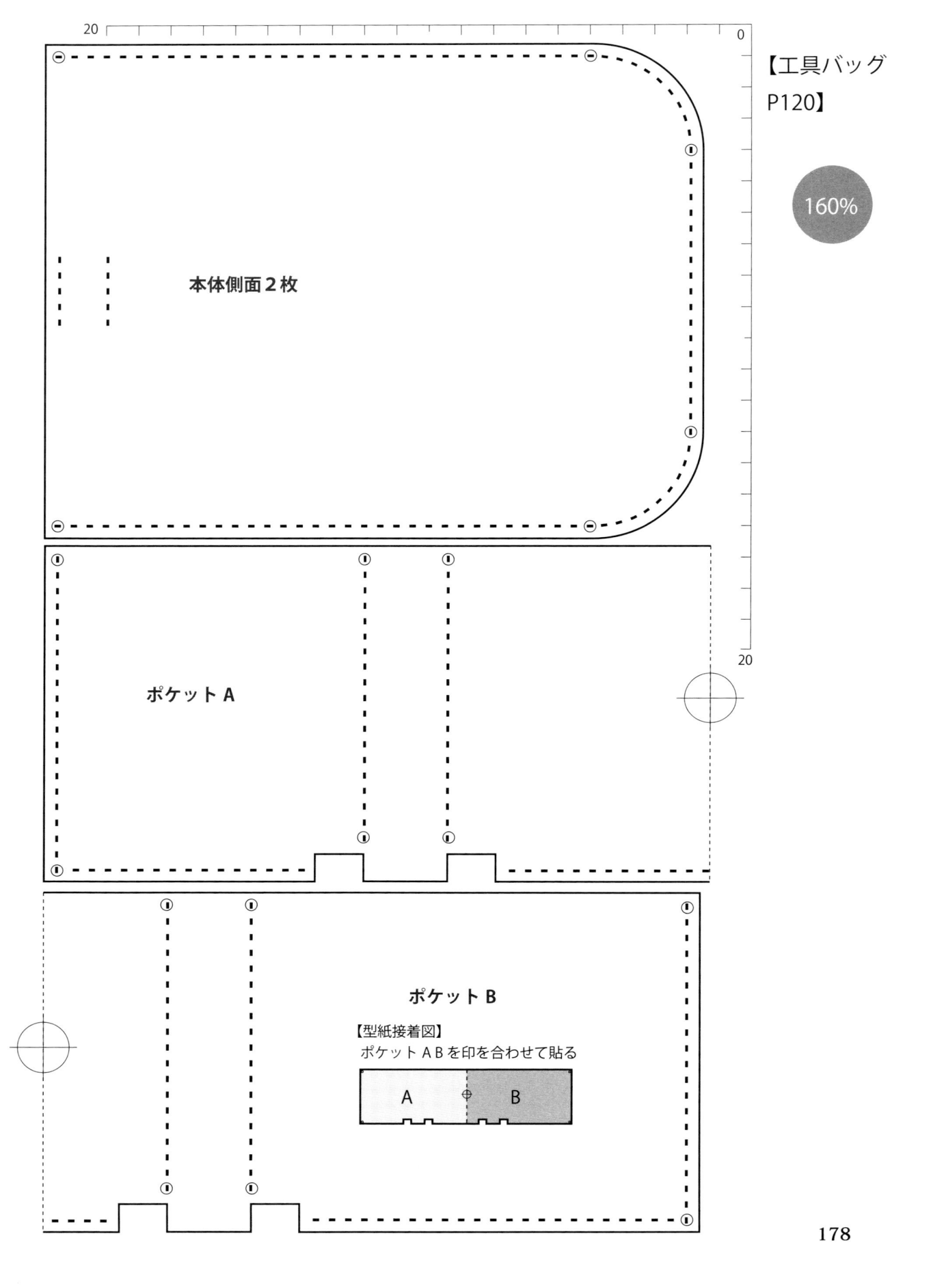

【工具バッグ
P120】

160%

本体側面2枚

ポケットA

ポケットB

【型紙接着図】
ポケットABを印を合わせて貼る

178

160%

【横長書類バッグ　P124】

本体正面2枚

角は菱キリで穴を開ける

【横長書類バッグ　P124】

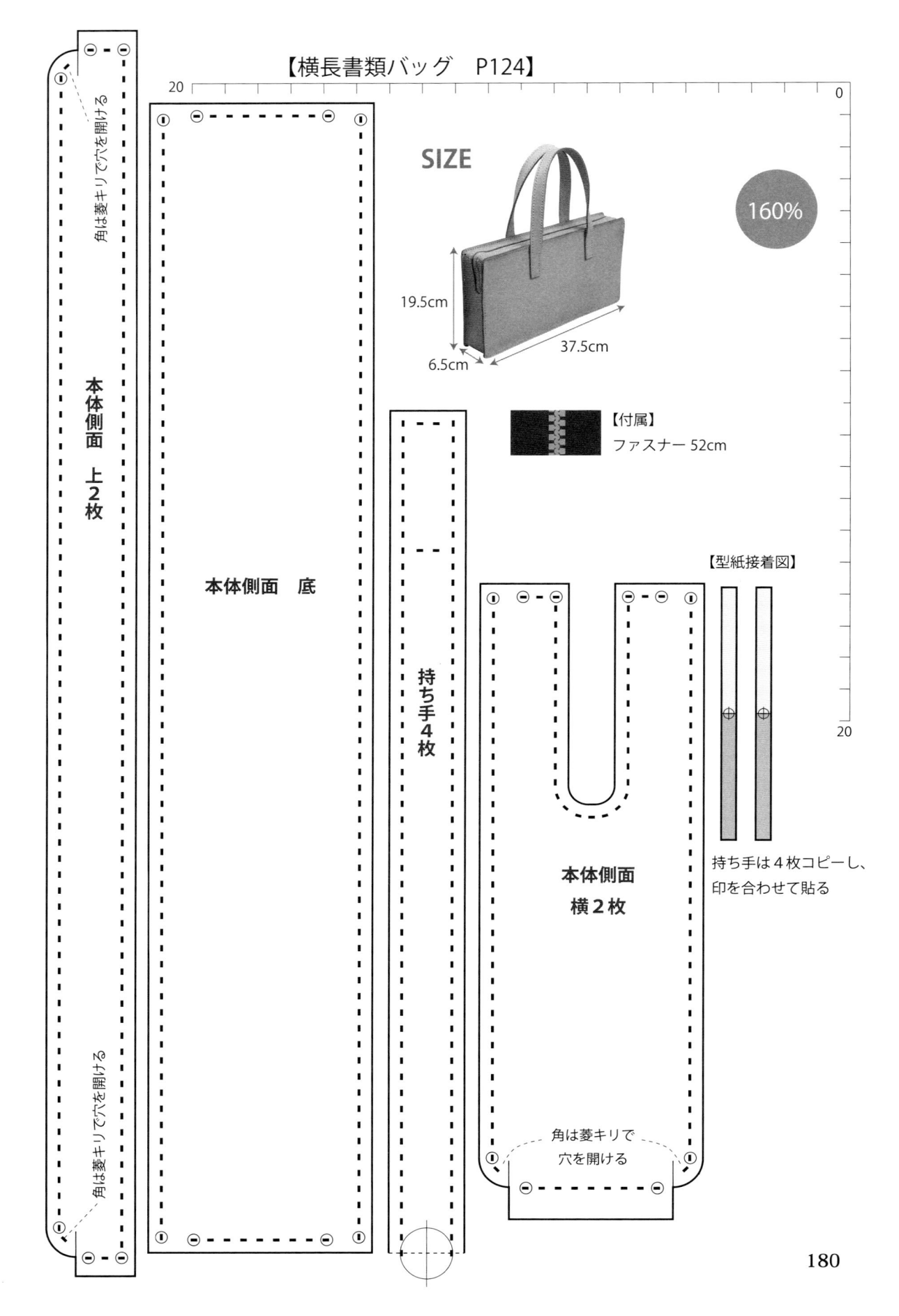

SIZE
19.5cm
6.5cm
37.5cm

160%

【付属】
ファスナー 52cm

本体側面　上 2枚
角は菱キリで穴を開ける

本体側面　底

持ち手 4枚

本体側面　横 2枚

角は菱キリで穴を開ける

【型紙接着図】
持ち手は4枚コピーし、印を合わせて貼る

180

【書類バッグ　P130】

160%

本体側面　底

本体正面 B 2枚

角は菱キリで穴を開ける

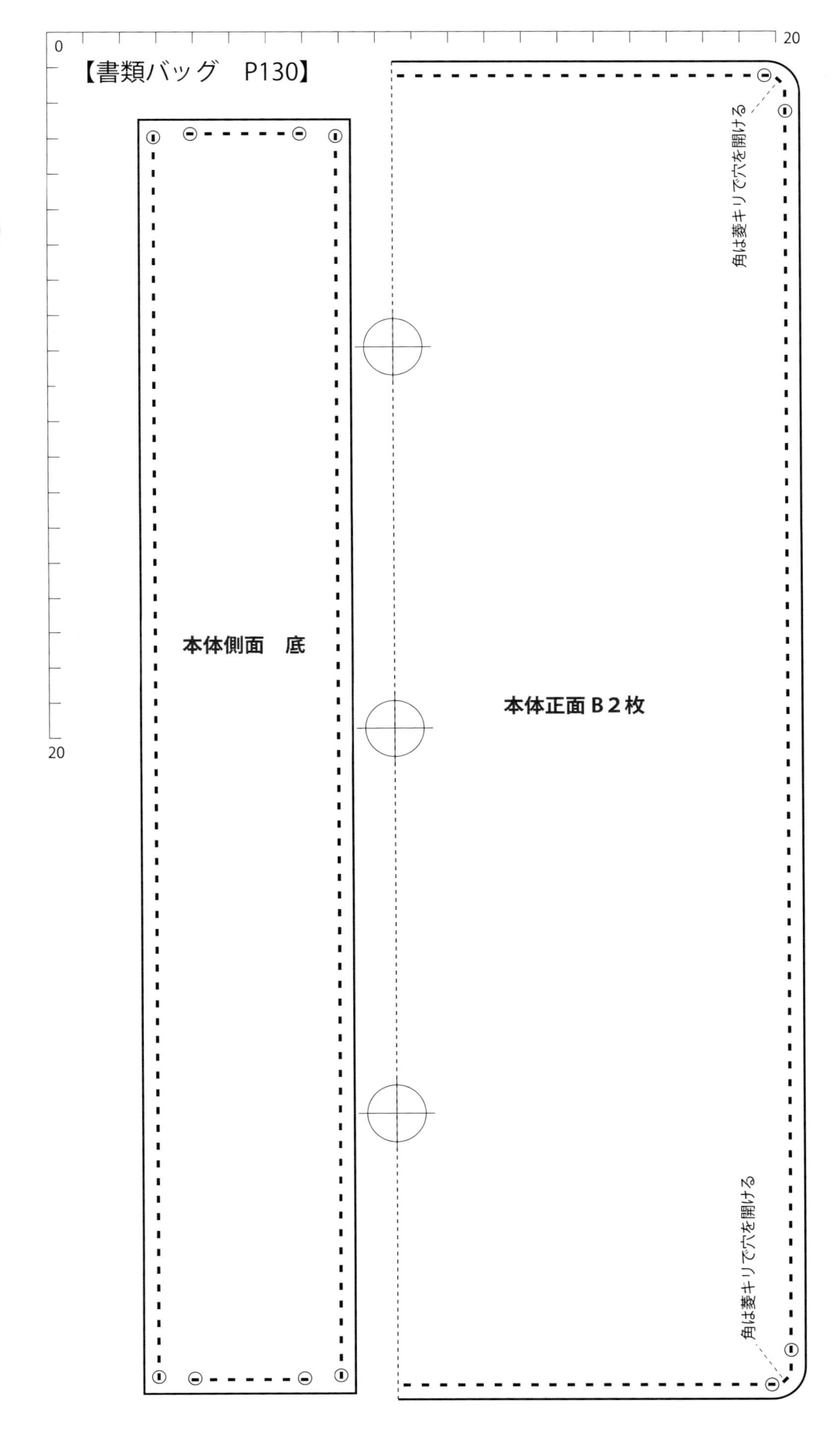

【書類バッグ P130】

160%

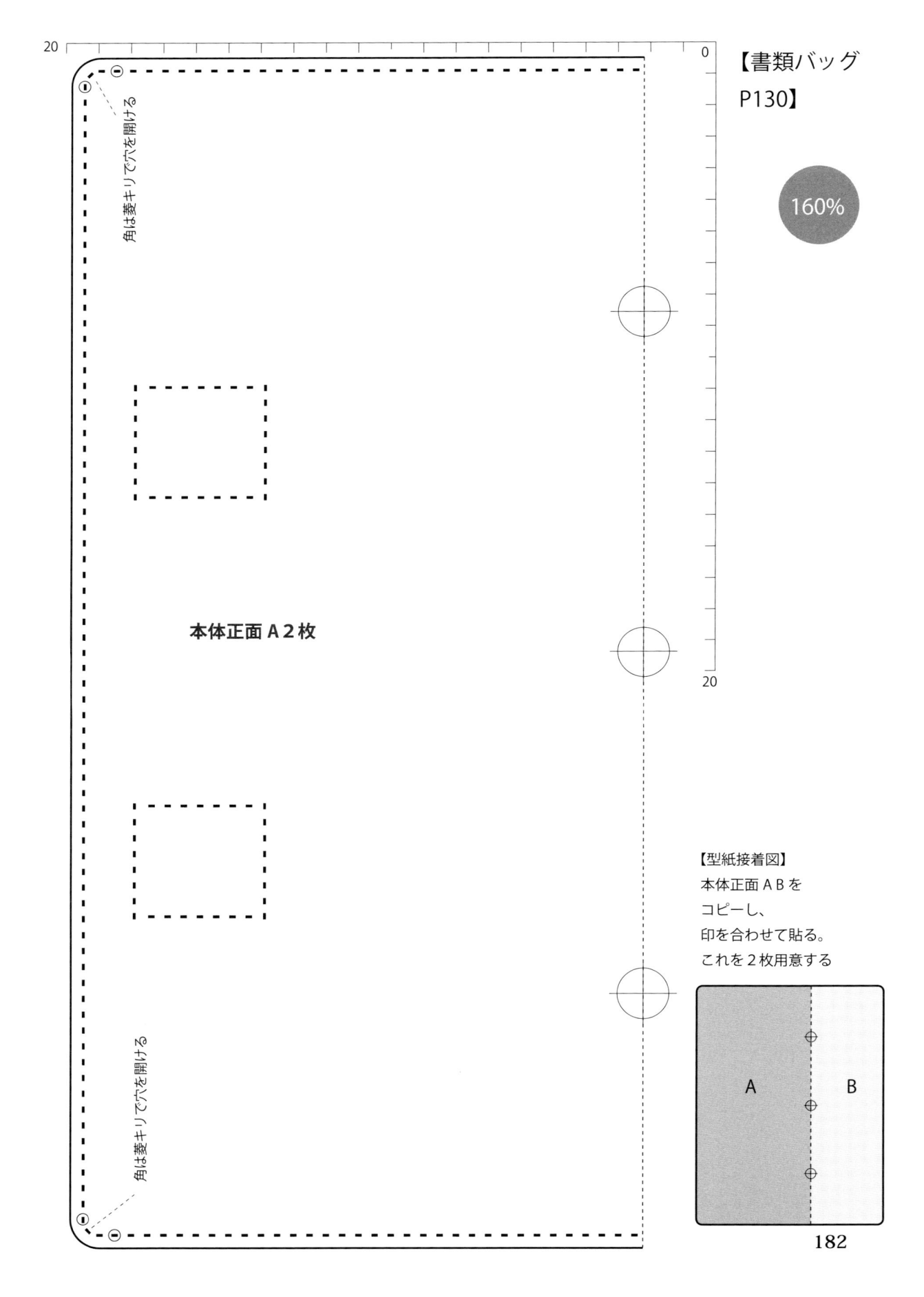

本体正面A 2枚

角は菱キリで穴を開ける

【型紙接着図】
本体正面ABを
コピーし、
印を合わせて貼る。
これを2枚用意する

A　B

182

【書類バッグ　P130】

160%

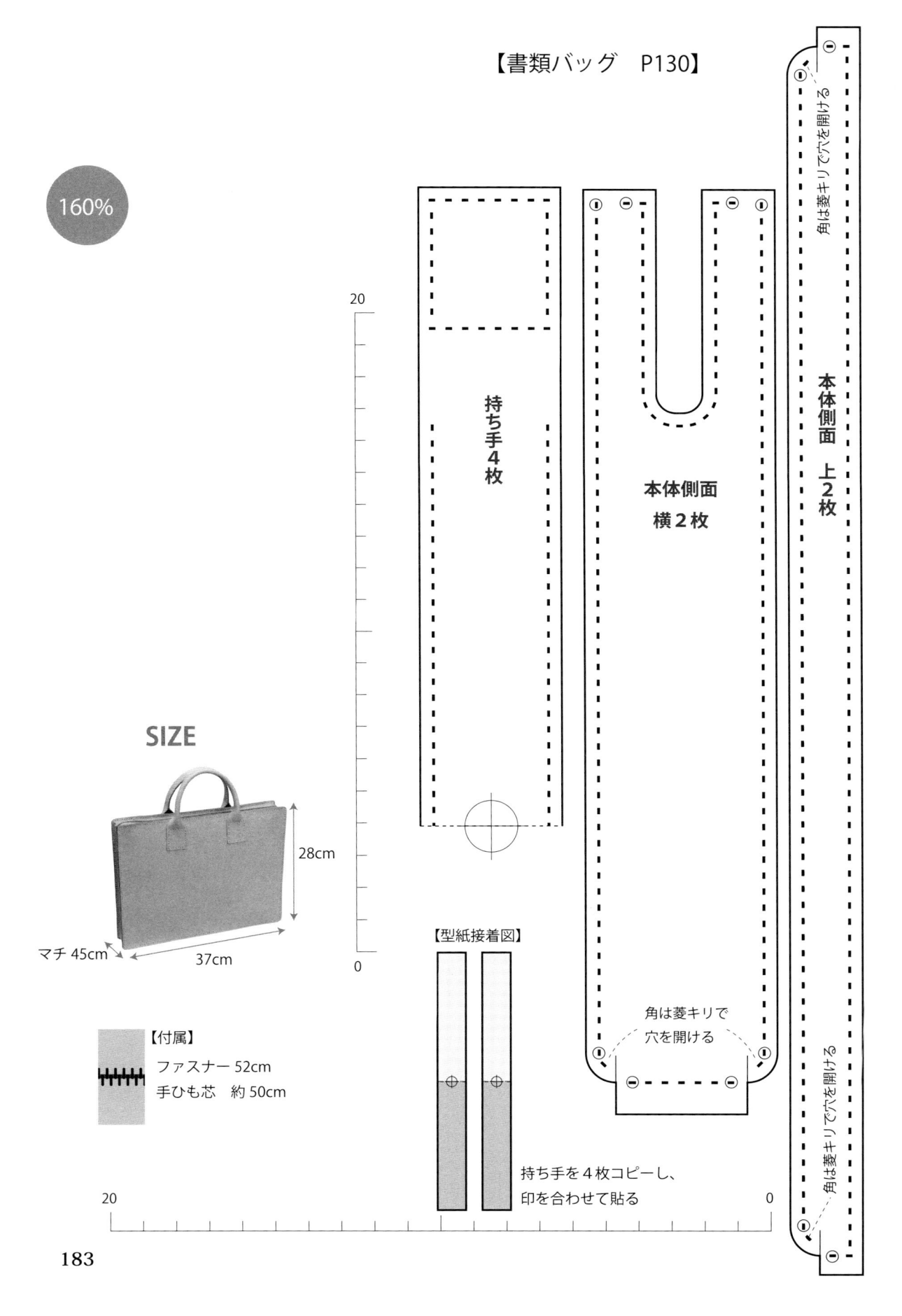

SIZE

28cm
マチ 45cm
37cm

【付属】
ファスナー 52cm
手ひも芯　約50cm

持ち手4枚

本体側面
横2枚

本体側面
上2枚

角は菱キリで穴を開ける

【型紙接着図】

角は菱キリで
穴を開ける

持ち手を4枚コピーし、
印を合わせて貼る

ピポン：がなはようこ・辻岡ピギー

pigpong（ピポン）
http://www.sigma-pig.com/

ピポン
がなはようこ・辻岡ピギーのアート、クラフト作品制作のユニット。
商品プランニング、ブックデザイン、イラスト、染色、
オブジェ制作、ディスプレイ等において、
オリジナリティあふれる、ユニークな活動を展開している。

主な著書は、
がなはようこ
「ボールペンでイラスト」、「ボールペンでスケッチ」、
「ボールペンでなぞり絵」、「サインペンでイラスト」、
「和の切り紙」、「消しゴムでフランスはんこ」飛鳥新社
「消しゴムで和のはんこ」角川SSコミュニケーションズ
「きりぬく仕掛けカードの本」ビー・エヌ・エヌ新社

辻岡ピギー
「エコペーパー雑貨」池田書店
「簡単！布ぞうり」角川マガジンズ

共著に
「ちょきちょき ちくちく、古着で雑貨」、
「デコ窓・デコ壁」、
「101ぴきの、くまちゃん雑貨」グラフィック社
「きりぬくブック」ビー・エヌ・エヌ新社
「ピポンのVステッチ」飛鳥新社

撮影：池田ただし
ブックデザイン：我那覇陽子
制作協力：六角久子・小林光枝

材料提供：SEIWA
http://www.seiwa-net.jp
〒161-8552 東京都新宿区下落合1-1-1

編集：山本尚子

ヌメ革で作る手縫いのバッグ

2014年 2月25日　初版第1刷発行
2016年12月25日　初版第2刷発行
2020年 4月25日　初版第3刷発行

著　者　　がなはようこ・辻岡ピギー：ピポン
発行者　　長瀬聡
発行所　　株式会社グラフィック社
　　　　　〒102-0073　東京都千代田区九段北1-14-17
　　　　　Tel. 03-3263-4318　　Fax. 03-3263-5297
　　　　　http://www.graphicsha.co.jp
　　　　　振替　00130-6-114345
印刷製本　図書印刷株式会社

落丁・乱丁本はお取り替え致します。本書の記載内容の一切について無断転載、転写、引用を禁じます。本書のコピー、スキャン、デジタル化等の無断複製は著作権法上の例外を除き禁じられています。本書を代行業者等の第三者に依頼してスキャンやデジタル化することは、たとえ個人や家庭内での利用であっても著作権法上認められておりません。

©2014 PIGPONG
ISBN978-4-7661-2602-0 C2076
Printed in Japan

型紙および製作工程については万全の注意で検証をしておりますが、万が一型紙および製作工程に起因する不具合が生じた場合は弊社までご一報ください。ただし、製作にあたって生じた損害については著者および弊社は一切の責任を負いません。